PENSÉES
QUOTIDIENNES

OMRAAM MIKHAËL AÏVANHOV

PENSÉES
QUOTIDIENNES

1993

EDITIONS PROSVETA

Illustration de couverture : améthyste sur fond de béryl

« Chaque matin, avant d'entreprendre quoi que ce soit, recueillez-vous un moment afin d'introduire en vous la paix et l'harmonie, et de vous lier au Créateur en Lui consacrant, par la prière et la méditation, cette journée qui commence.

L'essentiel, c'est le commencement. C'est là, au commencement, que les forces nouvelles se déclenchent et s'orientent. Pour agir correctement, il faut toujours commencer par chercher la lumière. Quand il fait nuit, vous ne vous précipitez pas dans l'obscurité pour aller prendre un objet ou commencer un travail, mais vous allumez d'abord une lampe pour y voir, et ensuite vous agissez. Eh bien, pour n'importe quel cas dans la vie, vous avez tout d'abord besoin d'allumer la lumière, c'est-à-dire de vous concentrer, de vous recueillir, afin de savoir comment agir. Si vous n'avez pas cette lumière vous irez à gauche, à droite, vous frapperez à plusieurs portes, et vous ne ferez rien de bon.

Toute votre journée est inscrite dans la direction que vous donnez dès le matin à vos pensées. Car suivant que vous êtes attentif et vigilant ou non, vous déblayez le chemin ou, au contraire, vous l'encombrez de toutes sortes de choses inutiles ou même nocives. Le disciple de la Science initiatique sait comment il doit commencer la journée s'il veut qu'elle soit fructueuse, remplie de la grâce de Dieu, afin de pouvoir répandre cette grâce autour de lui sur toutes les créatures. Il sait qu'il doit avoir, dès le matin, une pensée fondamentale autour de laquelle graviteront, durant la journée, toutes ses autres pensées.

Si vous avez pour chaque jour un but précis, une orientation précise, un idéal à atteindre, toutes vos activités vont peu à peu s'ordonner, s'organiser et contribuer à la réalisation de cet idéal. Et même lorsque des pensées et des sentiments étrangers, négatifs, tenteront d'entrer en vous, ils seront détournés et mis au service du monde divin, ils seront obligés eux aussi d'aller dans la direction que vous avez vous-même choisi de prendre. Et c'est ainsi que, grâce à la pensée fondamentale que vous aurez placée dès le matin dans votre tête, dans votre cœur, vous pourrez inscrire cette journée dans le grand Livre de la Vie.

Et puisque tout s'inscrit, une fois que vous aurez vécu une journée splendide, une journée de vie éternelle, non seulement elle sera enregistrée, non seulement elle ne mourra pas, mais elle tâchera d'entraîner toutes les autres journées à sa suite pour qu'elles lui ressemblent. Essayez au moins de bien vivre une seule journée car c'est elle qui influencera les autres : elle va les inviter pour leur parler et les convaincre d'être comme elle, équilibrées, ordonnées, harmonieuses. »

Omraam Mikhaël Aïvanhov

Veillez à la façon dont vous allez passer le premier jour de la nouvelle année, car ce premier jour a autant d'importance pour tout le reste de l'année que le moment de la naissance pour toute la vie. La vie de chaque être humain est marquée par les influences astrales qui ont agi au moment de sa naissance ; le déroulement d'une vie est donc contenu en germe dans son commencement et c'est là la raison d'être de l'horoscope. A une échelle plus réduite, le premier jour d'une année contient en germe tout le déroulement des jours à venir. C'est pourquoi soyez attentifs à vivre ce premier jour dans la lumière, l'amour et l'harmonie. Tout au long de la journée, par la prière, la méditation, les chants, les bonnes pensées, les bons sentiments, tâchez d'inscrire des empreintes lumineuses qui influenceront bénéfiquement tous les jours de cette année.

Parsifal partant à la quête du Graal, c'est l'image éternelle de l'adepte sur le chemin de l'Initiation. Comme Parsifal qui devait traverser des forêts obscures, combattre des ennemis et des géants redoutables, déjouer des pièges, le disciple doit affronter l'obscurité, livrer des combats et vaincre les tentations. Une fois toutes les épreuves surmontées, Parsifal arrive dans un château merveilleux aux murs couverts d'or et de pierres précieuses, où il est accueilli solennellement, et c'est là qu'il lui est donné de contempler le saint Graal. La vision du Graal est la récompense suprême pour celui qui nourrit toujours dans sa tête et dans son cœur cet idéal d'obtenir les dons inestimables de l'Esprit.

Le feu représente la limite entre le plan physique et le plan éthérique. C'est pourquoi il est considéré par tous les Initiés comme le moyen le plus puissant pour entrer en communication avec le monde spirituel. Si, avant de commencer un travail de quelque importance, les Initiés ont l'habitude d'allumer une flamme, c'est parce qu'ils savent que le feu les introduira dans les régions subtiles où leur pensée, leur voix sera entendue et où ils trouveront les conditions de la réalisation. Tous les véritables mages ont un lien très puissant avec le feu. Bien que la religion ait perdu de plus en plus le sens de ces pratiques initiatiques, on continue dans les églises à maintenir la tradition d'allumer des cierges ou des veilleuses; c'est la preuve que les humains conservent inconsciemment ce savoir très ancien que la présence du feu est un gage de réalisation.

Il y a des jours où vous êtes dans l'émerveillement, vous vous sentez riche, heureux... Est-ce qu'à ce moment-là vous pensez à partager un peu cette abondance intérieure avec ceux qui sont malheureux et seuls? Non, vous gardez tout pour vous. Il faut savoir donner un peu de cette richesse, de cette plénitude qu'on ne peut même pas contenir, et dire: «Chers frères et sœurs du monde entier, ce que je possède est tellement magnifique que je veux le partager avec vous. Prenez de cette joie, prenez de cette lumière.» Si vous avez la conscience suffisamment développée pour faire cela, vous êtes inscrit dans les registres d'en haut comme un être intelligent et plein d'amour. Et d'ailleurs, ce que vous avez ainsi distribué va se placer sur votre compte dans les «banques» célestes, où vous pourrez puiser un jour si vous en avez besoin. Oui, tout ce que vous donnez ainsi reste à vous, personne ne peut vous le prendre, parce que vous l'avez placé dans les réservoirs d'en haut.

L'hiver est le symbole des conditions difficiles de la vie. Durant l'hiver, toutes les forces de la végétation descendent et se concentrent dans les racines, où se fait un grand travail. Les racines représentent la subconscience. Pendant l'hiver, c'est-à-dire, dans les difficultés, la souffrance, la solitude, les énergies se retirent à l'intérieur, dans notre subconscience, et là il se produit de grands changements. Il ne faut pas s'inquiéter, car cela signifie que bientôt ces énergies se libéreront et qu'il y aura, à nouveau, toute une floraison, une abondante récolte. Il faut donc avoir la patience d'attendre que les courants remontent dans la conscience et la superconscience. Toutefois pour cela, il faut connaître les lois. Durant cette période de froid, il ne faut pas se plaindre, se révolter ; il faut allumer le feu en soi pour réchauffer son cœur et celui des autres.

Le meilleur moyen de progresser, c'est de ne jamais se barrer la route, de ne jamais admettre de limites, contrairement à ce que font la majorité des gens, qui ne cessent de dire ou de penser : « Ce travail est trop difficile pour moi »… « Quelles conditions épouvantables ! Je ne pourrai pas résister »… « ça, je n'arriverai jamais à le supporter »… Quand on est tellement persuadé d'avance qu'on est incapable, faible, vulnérable, évidemment on ne peut que capituler. Au contraire, il faut se dire : « Je supporterai, je résisterai, je triompherai. » Et si l'on n'y arrive pas encore tout à fait, ce n'est pas grave, on fera mieux la prochaine fois. L'essentiel, c'est de ne jamais s'avouer vaincu, de ne jamais se laisser écraser.

Souvent, c'est quand ils ont tout perdu, tout gâché, et qu'ils ne sont plus capables de faire quelque chose de leur existence que les humains se décident à se consacrer au Seigneur. Seulement voilà, le Seigneur n'a pas besoin d'invalides ou de vieillards édentés et chancelants. Il a besoin d'êtres jeunes, vigoureux, capables. Or, quand ils sont jeunes, la plupart ne pensent d'abord qu'à leur plaisir. Ils disent : « Tant que je suis jeune, je veux profiter de la vie », et pas question à ce moment-là de les entraîner dans un travail divin. Mais quand ils ont tout dépensé et gaspillé, quand ils sont vermoulus, perclus de rhumatismes, paralysés ou gâteux, ils se tournent vers le Seigneur : « Seigneur, as-Tu besoin de moi ? Je viens Te servir... » Tout est déjà parti : la santé, les forces, les cheveux, les dents, tout, ils n'ont plus rien, et c'est à ce moment-là qu'ils disent : Seigneur, est-ce que Tu veux de moi ? » Le Seigneur regarde cette ferraille en se grattant la tête : même Lui, Il ne sait pas à quoi Il pourrait l'utiliser ! Eh oui, si on veut servir un jour le Seigneur, il faut commencer à y penser quand on est jeune.

Vous dites que vous priez mais que vous ne savez pas si vos prières sont entendues par le Ciel. Il est pourtant possible de le savoir. Si après une prière vous vous sentez renforcé, dans la plénitude, c'est que le Ciel vous a entendu. Cela ne veut pas dire que, d'un seul coup, il y aura des résultats visibles et tangibles ; non, la réalisation ne se fera pas tout de suite, mais le Ciel vous a entendu, il a pris en considération votre demande, et c'est cela l'essentiel : de sentir que votre prière a été entendue. L'efficacité de la prière est dans son intensité, et l'intensité est liée au pouvoir que l'on a de dégager ses pensées et ses sentiments de toutes les préoccupations étrangères à cette prière. Donc, pendant un moment, laissez tout de côté pour vous plonger dans un travail spirituel intense, ce n'est qu'à cette condition que vous serez entendu et exaucé par le Ciel.

Dans les Livres sacrés, on retrouve souvent la mention du rôle joué par un vêtement précieux. Ce vêtement est symbolique. Il représente l'aura, c'est-à-dire l'émanation spirituelle de l'être intérieur. Dans l'Ancien Testament, il est dit que les fils de Jacob jalousaient leur frère Joseph parce qu'il possédait une belle tunique. Chaque fois que Moïse mentionne cette tunique, il précise qu'elle était de plusieurs couleurs, ce qui prouve bien qu'elle est le symbole de l'aura, dont les couleurs pures et chatoyantes correspondent aux différentes qualités et vertus. Ce vêtement de lumière, ce vêtement de couleur, efforcez-vous de le tisser patiemment, grâce à votre amour pour le monde divin, grâce au désir de le voir se manifester à travers vous ; car c'est ce vêtement, l'aura, qui va vous permettre de passer au travers des séductions et des tentations sans y succomber.

Dans cette incarnation, vous ne pouvez pas changer grand-chose à votre destinée, mais vous avez de grandes possibilités pour la suivante, à condition de le désirer et de travailler dans ce sens. Pourquoi certains ont-ils une existence tellement déplorable ? Parce qu'ils ne savaient pas, dans leur précédente incarnation, ce qu'ils devaient demander, sur quoi ils devaient travailler, pour se trouver aujourd'hui plus riches de dons et de vertus. Ils ne le savaient pas, et maintenant, s'ils continuent à l'ignorer, la prochaine incarnation sera aussi mauvaise, ou même pire encore. Mais vous qui êtes instruits de ces lois, utilisez toutes les années que vous avez à vivre pour imaginer et désirer les meilleures choses, parce qu'ainsi vous lancez déjà des projets qui vont se matérialiser. La matière actuelle résiste et refuse d'être changée; tant qu'elle n'est pas usée, elle ne peut pas être remplacée. Mais tout ce que vous avez commencé à créer par votre esprit et votre âme se cristallise peu à peu, et dans votre prochaine incarnation vous reviendrez pourvu des meilleures qualités.

On peut dire que Dieu est en nous et en dehors de nous, et il en est de même de notre Moi supérieur. La plupart des humains n'ont pas une conscience assez développée pour sentir que leur Moi supérieur est en eux-mêmes. C'est pourquoi le travail du disciple est de chercher à s'unir avec son Moi supérieur qui est toute-lumière, tout-amour et toute-puissance, afin de sentir ce qu'il est en réalité et se retrouver. Il a été dit : « Connais-toi toi-même. » Or la véritable connaissance de soi, c'est de se connaître en haut. Tant qu'on n'aura pas conscience d'être une parcelle de la Divinité, on ne se connaîtra pas et on ne sera jamais ni fort, ni libre, ni sage. Se connaître, c'est s'être trouvé soi-même et avoir trouvé Dieu. En trouvant Dieu, on trouve la liberté, le bonheur, la joie et non seulement en soi, mais dans les autres hommes, et aussi dans les animaux, les plantes, les pierres. Quand on a trouvé Dieu en soi-même, on Le découvre partout, dans tous les êtres, dans toute la nature, et c'est cela véritablement se connaître.

Plus l'homme est lié à la Source divine, plus il attire des ouvriers célestes qui viennent l'aider et le soutenir. C'est ainsi qu'il devient fort, solide, rayonnant, maître de lui-même, et qu'il possède la clé puissante de la réalisation. Tremblez donc de faire quelque chose qui éloigne de vous les ouvriers divins, car chaque péché chasse ces amis invisibles qui ne peuvent supporter les émanations nauséabondes qu'il exhale.

Lorsque le disciple place Dieu au-dessus de toutes choses, lorsqu'il prie, médite, les ouvriers célestes laissent couler sur lui le fleuve de vie et lui envoient des rayons. Si votre âme était ouverte pour capter ces faisceaux de lumière, vous verriez apparaître devant vous un monde sublime plein d'habitants de toute splendeur.

En prenant connaissance des vérités initiatiques, vous ne pouvez plus vous sentir autorisés à vous montrer légers, insouciants, vous êtes obligés de vous surveiller, et c'est très bien. Tant que vous êtes ignorants, vous êtes un peu excusables de commettre des erreurs; cette ignorance n'empêchera pas que vous ayez à souffrir de ces erreurs, mais vous ne serez pas tenus responsables autant que si vous étiez instruits. Quand on sait et que l'on continue à marcher sur le mauvais chemin, la punition du Ciel est beaucoup plus grave. N'allez pas dire maintenant: «Oh, je regrette d'être disciple d'une Ecole initiatique, parce que le Ciel sera plus sévère avec moi.» Il ne faut pas regretter, il vaut mieux être instruit, même si on doit le payer plus cher. Même si on doit souffrir, la connaissance est préférable, car un jour ou l'autre elle finit par porter des fruits. Tandis que sans la connaissance, on reste dans les ténèbres. La lumière est toujours préférable.

Il y a une chaleur qui vient du Soleil, et une autre qui vient de Mars. Il y a un froid qui vient de Saturne, et un autre de la Terre. Le Soleil représente la chaleur vivifiante de l'amour, et Mars la chaleur destructrice de la haine. Saturne représente le froid de la pensée, de la sagesse, et la Terre le froid de la séparation, de la mort.

Lorsqu'Adam et Eve vivaient dans le jardin d'Eden, ils se nourrissaient des fruits de l'Arbre de la Vie qui leur communiquaient une chaleur bienfaisante. Ensuite, quand ils ont voulu manger des fruits de l'Arbre de la Connaissance du Bien et du Mal, ils sont descendus sur la terre où règne le froid de la séparation, de la mort... et ils s'y trouvent encore. Dans la chaleur du Paradis, ils étaient comme des cellules liées ensemble, ainsi que le sont les atomes animés d'un même mouvement au sein d'une molécule gazeuse. Mais une fois sur la terre, ils ont été saisis par le froid, et quand ils se sont regardés, ils se sont sentis nus, c'est-à-dire séparés. Tous les malentendus entre les hommes proviennent de cette séparation des consciences. Celui qui est descendu dans le froid de la terre ne peut comprendre le froid de la sagesse.

Une science profonde, insoupçonnée, est contenue dans le symbole du cercle avec le point central. Pourquoi le centre est-il toujours limité à un point, alors que le cercle peut avoir une circonférence infinie? La circonférence est l'expression de la matière qui absorbe les êtres et les choses. Le centre est le symbole de l'esprit qui rayonne, projette. Au lieu d'amasser et de garder, il donne. C'est pour cette raison qu'il est représenté par un point minuscule. Et le cercle, lui, est grand parce qu'il reçoit les richesses de l'esprit.

Vous direz: «Mais alors, l'esprit perd tout!» Non, car il vit dans la matière qui a reçu sa richesse, il n'a donc rien perdu. Et cette loi est la même pour tous les êtres qui savent vraiment donner. C'est celui qui donne qui profite, car il vit désormais dans tous ceux qui ont bénéficié de ses dons. Son esprit est en eux. C'est pour cette raison que tous ceux qui s'imaginent avoir profité de quelqu'un, sont en réalité habités par celui qui leur a donné: c'est lui qui se manifeste à travers eux.

Tous ceux qui ne travaillent pas sur eux-mêmes pour spiritualiser les cellules de leur organisme sont exposés à de grandes souffrances. Vous direz: «Mais comment faire ce travail?» D'abord par la nourriture, en puisant en elle les particules qui rendront les cellules plus vivantes, plus souples, plus résistantes. Vous avez pu remarquer que certains êtres qui reçoivent un grand choc retrouvent leur calme quelques instants après, alors que d'autres arrivent difficilement à se rétablir. C'est que la matière psychique de ces derniers n'est pas souple, elle est constituée d'éléments très proches du plan physique. Le moyen de résister à la vie actuelle, de supporter ses tensions anormales, c'est de mener une vie pure et simple. Et il ne suffit pas, bien sûr, de surveiller sa nourriture et sa façon de manger, mais aussi ses pensées, ses sentiments, ses désirs. En travaillant à les purifier, à les éclairer, vous arriverez peu à peu à acquérir une élasticité, une souplesse qui vous permettra de résister physiquement et psychiquement à tous les chocs.

La prière n'est pas une occupation pour gens crédules auxquels on a raconté que le Seigneur n'a rien d'autre à faire que de venir les entendre marmotter. La vraie prière est basée sur une science concernant la structure de l'univers et les différents états de la matière. Au-delà de la terre, de l'eau, de l'air et du feu, il existe un grand nombre de régions de plus en plus subtiles, peuplées d'êtres lumineux : anges, archanges... Et de la même façon que nous pouvons puiser dans la terre, l'eau, l'air, la lumière, tout ce qu'il nous faut, dans ces régions aussi nous pouvons puiser tout ce dont nous avons besoin pour notre santé, notre bonheur et notre épanouissement. Nous devons savoir d'abord que l'univers est hiérarchisé, ensuite qu'au sommet de cette hiérarchie, il y a un Etre qui est tout amour et qui a tout distribué afin qu'aucune créature dans l'espace ne manque de rien. C'est à nous maintenant de chercher par la prière à atteindre ces régions, afin d'y prendre tous les éléments que notre cœur et notre âme désirent, et dans les moments d'incertitude et d'angoisse y trouver un refuge.

Vous n'obtiendrez des résultats dans le plan spirituel que si vous possédez les qualités et les vertus nécessaires pour soutenir votre action. Vous voulez par exemple porter un talisman parce que vous pensez qu'il vous protégera, qu'il vous gardera dans la voie de la lumière, et vous allez dans une boutique acheter un pentagramme parce que vous avez lu que la figure du pentagramme a tel ou tel pouvoir magique. Eh bien, détrompez-vous : ce talisman ne vous servira à rien si ce n'est pas vous qui, par votre travail intérieur, l'imprégnez de vibrations pures et harmonieuses. Et en admettant même qu'un grand mage l'ait préparé pour vous, ce talisman ne peut continuer à être efficace et puissant que si c'est vous qui continuez à l'animer, à le nourrir par vos pensées, vos sentiments, votre vie pure ; sinon, au bout de quelque temps il perd ses forces et il meurt. Le pouvoir d'un talisman ne dure pas éternellement, il dépend des qualités de la personne qui le porte.

On parle partout d'organisation, mais c'est toujours d'organisation matérielle. Et dans ce domaine, même si tout n'est pas parfait dans la société, il faut reconnaître qu'on est quand même arrivé à de bons résultats. Mais dans la vie intérieure des humains, quelle pagaille! Là, ils ne pensent jamais qu'il y a aussi quelque chose à organiser, ils croient qu'il suffit d'étudier un peu le psychisme humain en inventant toutes sortes de termes et de notions compliquées pour décrire ses différents états, ses troubles, ses maladies. Non, cela ne suffit pas. Et pour organiser notre monde intérieur il faut essayer de développer les organes qui permettent d'entrer directement en contact avec les mondes de l'âme et de l'esprit. Car l'âme et l'esprit sont des réalités, ils existent. Tant qu'on les néglige, tout ce que l'on peut dire sur la vie psychique est vide de sens. L'organisation intérieure suppose que l'homme ait une activité convenable pour dégager et développer ses organes subtils, afin d'entrer en contact avec les réalités spirituelles.

La puissance de la pensée est immense, et si vous n'obtenez pas de grands résultats, c'est que vous n'êtes pas fidèle au travail que vous avez entrepris : vous détruisez toujours le bon travail commencé, en vous livrant à une activité tout à fait contraire. Supposez que vous ayez entrepris de travailler sur l'harmonie, harmonie des gestes, des paroles, de tout votre être... Mais vous n'avez pas appris à vous dominer, et voilà les pensées et les désirs chaotiques qui continuent à s'emparer de vous et qui détruisent au fur et à mesure votre bon travail.

Pour obtenir la réalisation de vos désirs spirituels, vous devez travailler d'une façon intelligente, organisée, continue. Il se peut que vous ne réalisiez pas encore de grandes transformations dans cette incarnation, mais vous les obtiendrez dans la suivante. Vous demandez : « Et pourquoi pas dans celle-ci ? » Parce que vous n'avez pas déjà travaillé en ce sens dans une précédente incarnation. Ce n'est pas en quelques mois, en quelques années qu'on arrive à de grandes réalisations spirituelles. Il faut poursuivre ses efforts sur plusieurs incarnations. Si, déjà dans le passé, vous aviez commencé ce travail, vous pourriez avoir aujourd'hui des résultats. Alors, comprenez au moins que vous devez vous mettre à travailler sérieusement dans cette incarnation pour avoir de bons résultats dans la prochaine.

Imaginez une sphère : un homme est à l'intérieur et un autre à l'extérieur. Celui qui est à l'intérieur la voit évidemment concave, alors que pour celui qui est à l'extérieur, elle est convexe. Les deux discutent et se chamaillent, impossible de les mettre d'accord. Et maintenant interprétons. Celui qui est dans la sphère, c'est le religieux qui observe la vie du dedans, subjectivement, c'est-à-dire par le cœur, le sentiment. Celui qui est à l'extérieur, c'est le scientifique qui étudie tout du dehors, objectivement, par l'intellect. Entre la religion et la science se poursuit ainsi une lutte séculaire. Qui est dans la vérité ? Toutes les deux, mais chacune à cinquante pour cent.

C'est pourquoi il arrive un troisième observateur qui dit : « La sphère est à la fois concave et convexe. » Les deux autres se fâchent et le traitent d'insensé. Cependant, ce dernier est un sage qui contemple la vérité tout entière. Ce sage, c'est l'intuition, qui a la capacité de réunir la pensée et le sentiment pour voir les choses simultanément du dedans et du dehors. Oui, pour connaître la véritable réalité des choses, il faut pouvoir être à la fois subjectif et objectif, se situer à la fois à l'intérieur et à l'extérieur.

Tout ce qui est inscrit sur notre corps, notre visage, nos membres a d'abord été formé et préparé dans le cerveau. Il existe une loi terrible, implacable, d'après laquelle chaque mouvement de la pensée ou du sentiment finit par se concrétiser dans le plan physique. Bien sûr, cela ne se fait pas immédiatement; de nombreux mouvements traversent notre âme où ils s'expriment sous forme de sensations, d'états de conscience, et peu à peu ces états s'inscrivent sur notre corps. Le cerveau recèle toutes nos potentialités, et dans la vie courante, notre visage exprime le capital en action, c'est-à-dire ce que nous sommes en train de vivre. Ni le passé ni l'avenir n'apparaissent dans les expressions du visage, seuls sont profondément inscrits les mouvements déclenchés depuis déjà longtemps et souvent répétés.

D'après la Science initiatique, l'inspiration
n'est rien d'autre qu'un contact avec une force,
une intelligence, une entité ou un courant de
nature supérieure. C'est ce contact qui nous
permet d'exécuter ce dont nous ne sommes pas
habituellement capables nous-mêmes. Quelqu'un
veut parler, mais il ne trouve pas ses mots, il est
embarrassé, il bredouille. Mais voilà que d'un
seul coup, quelque chose entre en lui, une
lumière, un courant, et il s'y abandonne : il n'a
même plus à chercher ses mots, ils coulent de
source, au point que tout en parlant, il écoute
ce qu'il dit comme s'il écoutait parler quelqu'un
d'autre, et il est le premier étonné. Pour l'artiste,
il en est de même. D'où cela vient-il ? Qui est cette
présence en lui qui sait où trouver les matériaux,
assembler les éléments et les combiner pour créer
des formes et des expressions ?... L'homme lui-
même n'est pas tellement capable de produire des
créations géniales, divines, mais s'il sait se préparer par un travail intérieur de purification,
d'élévation, il peut être visité par des âmes évo-
luées qui l'inspireront.

La vie fraternelle est une richesse, car chacun avec son visage, ses yeux, sa voix, sa pensée, apporte quelque chose de vivant, de chaleureux, dont tous peuvent se nourrir. Si vous saviez comment recevoir ces bénédictions, vous attireriez tellement d'amour de la part de tous que vous vous sentiriez comblés. Qui vous en empêche? «Mais... ma femme, là, elle sera jalouse, elle ne me permettra pas de recevoir l'amour d'une autre...» Vous me comprenez mal, il ne s'agit pas de l'amour d'une femme ou d'un homme, mais de l'amour de tous les êtres humains. Que peut-on vous reprocher là? Il n'y a pas de jalousie à avoir, car chacun recevra cet amour (... et votre femme aussi!) Mais les gens ne savent pas vivre: ils s'enterrent dans un petit trou, quelque part, et ils croient que la question est résolue. Non, ils ne savent pas ce qu'est la vraie vie. La vraie vie, c'est la vie fraternelle en communion avec tout l'univers.

Par la méditation, la contemplation, vous pouvez attirer tous les éléments subtils qui sont répandus à profusion dans l'espace. Ils sont à votre disposition, il n'y a pas d'interdictions, pas de limites. Les interdictions et les limites sont en l'homme, parce qu'il n'est ni fort, ni pur, ni intelligent. Mais en réalité tout est là, à sa disposition, à condition qu'il fasse l'effort de l'atteindre. Le Seigneur distribue tout, il n'y a pas plus généreux que Lui. La vie est partout : dans l'eau, dans les arbres, dans les pierres, et surtout dans l'air et dans le soleil, mais l'homme meurt parce qu'il n'a pas su habituer son organisme à prendre cette vie pour se nourrir, se vivifier. Dieu est juste et grand, Il n'a jamais dit que les richesses devaient être pour les uns et pas pour les autres ; mais si vous ne faites rien pour les acquérir, ce n'est pas le Seigneur qui est responsable. Alors, étudiez, exercez-vous, sinon pendant des incarnations et des incarnations encore, vous resterez toujours aussi pauvre et misérable, tout en continuant d'accuser le Seigneur.

Le disciple qui n'a pas confiance en son Maître, qui ne sent pas que toutes les leçons qu'il lui donne sont pour son bien, se ferme par cette attitude le chemin de l'évolution. Bien sûr, ce n'est pas le Maître qui le punira, mais la vie. Car dans le monde spirituel, il existe des barrières que l'on ne peut franchir que sous certaines conditions. Le disciple demande qu'on lui révèle les lois et les merveilles des régions supérieures, avec les entités lumineuses qui les habitent, leurs fonctions, leur travail. C'est bien, mais comment les habitants de ces régions peuvent-ils se manifester à lui s'il n'en est pas digne ? Pour en être digne, il faut au moins avoir accepté de reconnaître ses lacunes et ses défauts afin de les corriger.

Si les hommes et les femmes savaient doser les manifestations de leur amour, ils pourraient s'aimer éternellement. Au lieu de cela, ils commencent dès le début à se bombarder de regards, de sourires, de baisers, etc., et peu de temps après, ils ne s'aiment plus. Pour garder toute la vie de bonnes relations les uns avec les autres, ils doivent observer la mesure ; sinon, même avec les meilleures personnes du monde, les bonnes relations ne peuvent pas durer. Ils finissent par se séparer parce qu'ils ont abusé : ils ont trop mangé, ils ont une indigestion, et ils se rejettent. Ce sont là des subtilités psychologiques, qu'il est nécessaire de connaître pour sauvegarder une amitié, un amour.

Pourquoi les artistes contemporains se sont-ils arrêtés sur des conceptions de l'art auxquelles la majorité des gens ne comprennent rien ? S'ils gardent pour eux seuls le sens de leurs œuvres − et il n'est même pas sûr encore qu'ils le connaissent ! − les gens ne pourront jamais les utiliser pour affiner leur sensibilité et leur compréhension. Si quelqu'un vous parle un langage incompréhensible, en quoi cela vous sera-t-il utile ? Il existe des groupements spirituels où certains prétendent « parler en langues » sous l'influence du Saint-Esprit. Mais si personne n'y comprend rien, à qui cela profite-t-il ? Même pas à eux ? Alors c'est insensé.

Il faut parler un langage clair pour tous. Si vous êtes un artiste et que vous exposiez une œuvre, une peinture, une sculpture, il faut que le monde entier en saisisse le sens et en soit éclairé. Si vous faites une œuvre uniquement pour vous-même, alors ne l'exposez pas ; si vous écrivez un livre uniquement pour vous-même, ne l'éditez pas ; car cela ne rime à rien de s'adresser au public dans un langage qu'il ne comprendra pas.

La majorité des gens sont tellement occupés à chercher ce qui est convenable pour la vie matérielle qu'il ne leur reste plus de temps à consacrer à la vie divine. Et c'est ainsi qu'au fur et à mesure que l'état matériel de l'humanité s'améliore, son état moral et spirituel se détériore. Pourquoi ces maladies, ces déséquilibres, cette criminalité? Matériellement, en Occident, on n'a jamais été aussi à l'aise, mais d'un autre côté, jamais les gens n'ont été aussi troublés, inquiets, mécontents. C'est parce qu'en donnant la prépondérance à un côté, on laisse fatalement péricliter l'autre. Que les gens veulent améliorer la situation, on ne peut pas en douter: leur temps se passe en réunions pour discuter d'améliorations. Mais ces améliorations concernent toujours le plan matériel; jamais on ne fait de réunions pour permettre aux humains de vivre la vie divine. Et c'est pourquoi même si les affaires marchent de mieux en mieux — et est-ce que c'est vraiment le cas, d'ailleurs? — les humains, eux, sont en train de se perdre.

D'où vient cette habitude tellement répandue d'avoir une signature illisible et tarabiscotée? Ceux qui signent de cette façon ne savent même pas pourquoi ils le font. Eh bien, tout simplement parce que la nature inférieure, toujours occupée à tramer des projets «pas très catholiques», ne veut pas être découverte. Alors elle pousse l'homme à se camoufler, au point qu'on ne peut même pas savoir qui il est, comment il s'appelle. Et ne dites pas qu'une signature est un détail sans importance. Au contraire, elle est très importante, elle représente l'homme lui-même. Une signature doit montrer que tout en nous est clair, droit, franc. Pourquoi embrouiller son nom? C'est un très mauvais signe. En faisant cela, vous mettez aussi sur vous des forces chaotiques qui vont vous démolir. Comment peut-on prétendre résoudre les problèmes d'une famille, d'une entreprise, d'un pays, quand on ne sait même pas qu'on doit écrire clairement son nom?

Imaginez une famille en train de se disputer : le père, la mère, les enfants... Quel spectacle, quelle cacophonie ! Soudain un ami que tous estiment et respectent se présente à la porte. C'est une surprise, on ne l'attendait pas. Aussitôt chacun s'efforce d'être à la hauteur de la situation. «Oh! comme nous sommes heureux de vous voir! Mais asseyez-vous donc. Comment allez-vous? Voulez-vous prendre quelque chose?»... Et même ils se regardent gentiment pour que l'ami ne s'aperçoive pas qu'ils étaient en pleine tragédie. Vous avez dû faire parfois cette expérience, non? Alors, pourquoi ne pas en tirer des conclusions pour votre vie intérieure? Lorsqu'éclatent en vous-même des discussions, des tumultes, des révolutions, si vous vous mettez à prier avec beaucoup d'ardeur, vous pourrez constater que, d'un seul coup, tout s'apaise et vous retrouvez le calme et la joie. Pourquoi? Parce qu'il est venu au-dedans de vous un ami, et en sa présence tous les autres habitants de votre for intérieur, craignant de se montrer grossiers, se sont tus. Et si vous priez cet ami avec encore plus d'assiduité et de ferveur pour qu'il ne s'en aille plus, qu'il reste et habite en vous pour toujours, qu'il s'installe au centre de vous-même et n'en bouge plus, à ce moment-là la paix et la lumière régneront éternellement en vous.

Combien de gens réalisent sans le savoir les projets de personnes qu'ils ne connaissent même pas ! Vous direz : « Je ne comprends pas comment c'est possible. » C'est simple : les pensées et les sentiments sont des puissances agissantes, capables d'influencer des êtres qui, par leur structure psychique, sont préparés pour capter les ondes que d'autres leur envoient. C'est ainsi que des gens faibles ont fini par commettre des crimes ; ils y ont été poussés par la puissance des pensées et des sentiments négatifs que d'autres personnes avaient émis, projetés. Et comme la justice humaine n'est pas clairvoyante, elle n'a pas puni ceux qui avaient lancé dans l'espace ces pensées et ces sentiments criminels, mais ceux qui les avaient mis à exécution, alors qu'en réalité ils n'étaient pas les vrais coupables. Bien sûr, ils étaient coupables de s'être abandonnés et affaiblis au point de devenir les instruments de courants maléfiques, mais les véritables instigateurs de ces crimes étaient d'autres qu'eux. Alors attention à vos pensées et vos sentiments, car ils risquent d'être réalisés par d'autres, et s'ils sont mauvais, c'est vous que la justice divine tiendra pour responsable.

Lorsqu'en hiver la vie se retire dans les racines, l'arbre est terne, nu, sans beauté, sans parfum, personne ne s'approche de lui. Mais dès que la vie commence à monter, les oiseaux viennent chanter dans ses branches, tous l'admirent et viennent s'asseoir auprès de lui. Voilà une leçon sur laquelle il faut s'arrêter pour méditer. Quand vous voyez les gens descendre de plus en plus vers leurs racines, c'est-à-dire donner la première place aux convoitises, aux passions, aux plaisirs, c'est que déjà ils marchent vers l'hiver, spirituellement parlant. Et au fur et à mesure qu'ils deviennent ainsi moins beaux, moins lumineux, moins vivants, leur entourage commence à s'écarter d'eux. Malheureusement ils seront les derniers à comprendre pourquoi.

Retenez donc bien ceci : tant que vous laisserez vos énergies alimenter des préoccupations prosaïques et égoïstes, vous ne pourrez que stagner, car vous allez entrer dans l'hiver, avec le froid, l'obscurité et l'arrêt de tout mouvement.

Il n'existe pas de plus haute science que la science du Verbe qui traite des vingt-deux éléments, des vingt-deux forces représentées par les vingt-deux lettres de l'alphabet hébraïque. C'est avec elles, comme il est dit dans la Kabbale, que Dieu a créé le monde. Apprendre la science du Verbe, c'est apprendre comment combiner dans les trois mondes les vingt-deux éléments qui le composent, afin qu'ils produisent l'harmonie dans nos pensées, nos sentiments et nos actes. Quand le désordre apparaît intérieurement, c'est que les «mots» sont mal placés, mal combinés. Très peu d'êtres possèdent cette science du Verbe, c'est-à-dire la science des correspondances qui existent entre les lettres et les forces. Ceux qui la possèdent et qui savent manier ces lettres peuvent établir un véritable lien entre la terre et le Ciel.

Sous prétexte qu'ils aiment leurs enfants, certains parents ne veulent pas les laisser souffrir un peu, se brûler un peu pour recevoir une leçon. Au moindre petit incident, ils sont là pour tout arranger, afin qu'ils n'aient pas à supporter les conséquences de leurs actes. Eh bien non, ce n'est pas cela, l'amour. Et ce n'est pas ainsi qu'agit le Seigneur ni la nature. Pour les parents, aimer leurs enfants ne doit pas signifier leur épargner tout de suite toutes les difficultés. Quand les enfants se sont mis dans une mauvaise situation, il faut les laisser se débrouiller et peiner un moment. Mais quand ils commencent à se rendre compte pourquoi et comment ils se sont mis dans cette situation, et qu'ils regrettent, alors on peut les sortir de leurs difficultés. Comme ils auront un peu souffert, ils prendront de bonnes résolutions et ils deviendront plus prudents, plus raisonnables. Les parents qui n'agissent pas ainsi, non seulement ne font pas de bien à leurs enfants, mais ils les encouragent dans la voie de la faiblesse et de la méchanceté.

C'est le sentiment, plus que la pensée, qui pousse l'être humain à agir, car par nature le sentiment veut toujours s'exprimer à travers des actes. Prenons un des exemples les plus courants de la vie quotidienne. Un homme pense à une femme: tant qu'il n'a pas de sentiment pour elle, il la laisse tranquille. Mais voilà que le sentiment apparaît, et comme le sentiment n'attend pas, le voilà qui galope pour rencontrer cette femme, lui acheter des fleurs et lui faire la cour.

Pour la pensée, il est difficile d'influencer le corps physique si elle ne passe pas par l'intermédiaire du sentiment. Si vous agissez par pure raison, vous agirez peut-être pour certains motifs tout à fait clairs, mais sans que votre cœur vous y pousse. On peut agir sans le sentiment, mais alors on n'a pas le goût d'agir et parfois même, on a oublié pourquoi on agit. Tandis que si le sentiment est là!... Oh, évidemment, cela ne veut pas dire que l'on sache mieux, et souvent, c'est même pire, car on part à l'aveuglette; mais on sait au moins que l'on est poussé!

Celui qui a appris à user correctement de ses cinq sens : la vue, l'ouïe, l'odorat, le goût, le toucher, possède une bonne connaissance de la réalité. Mais cette connaissance peut aussi lui servir dans ses relations avec les autres, qui est sans aucun doute le domaine où se commettent généralement le plus d'erreurs. Car les yeux sont capables de lui révéler par l'observation la nature de ceux qu'il rencontre. L'oreille peut percevoir et analyser les vibrations et les intonations d'une voix, même au téléphone. L'odorat l'avertit du genre de personnes qui occupent un endroit. Le goût lui fait éviter les rencontres dangereuses. Et quand il serre la main d'une autre personne, elle le renseigne immédiatement sur son caractère, son tempérament, car un serrement de main exprime l'être tout entier.

Vous vous promenez partout avec vos petits malheurs : « J'ai mal ici, il me manque cela... » Pourquoi vous arrêter toujours sur tout ce qui vous manque et jamais sur ce que vous avez? Pourquoi ne pas dire chaque jour : « J'ai des jambes, des bras, une bouche, des yeux, des oreilles. Je reçois un enseignement divin. Mais alors, je possède le ciel et la terre. Ah, quelle richesse, la vie est belle ! »

Chaque jour vous devez penser que vous êtes un fils de Dieu, une fille de Dieu, et que vous pouvez redevenir tel que vous étiez dans le passé lointain quand vous êtes sorti du sein de l'Eternel. Vous avez perdu cet état en voulant, comme le fils prodigue, faire des expériences loin de la maison de votre Père. Mais maintenant vous pouvez revenir vers Lui. C'est cela le retour vers le Père, « la réintégration des êtres » : quand l'homme redevient tout-puissant, maître des forces de la nature et qu'il retrouve enfin sa dignité d'héritier de Dieu. Voilà sa véritable prédestination. Alors, pourquoi toujours vous arrêter sur les petites choses qui vous manquent?...

Les psychanalystes, qui se lancent dans l'exploration du subconscient, ignorent souvent quelles régions dangereuses de l'être humain ils sont en train de remuer : ces régions où sont entassés tous les animaux préhistoriques, les dinosaures, les brontosaures, les mammouths, etc... Oui, tous ces monstres sont là, vivants.

Vous direz : « Mais comment, ils sont vivants ? Il y a longtemps déjà qu'ils ont disparu ! » Ils ont disparu de la surface de la terre, mais ils habitent en l'homme sous forme d'instincts, de désirs. Ce n'est pas parce que leur corps physique a disparu que leur corps astral aussi a disparu. Et par leur corps astral, tous les animaux, et pas seulement les animaux préhistoriques, sont présents dans le subconscient de l'homme. C'est pourquoi, lorsque sous prétexte d'aller chercher dans le subconscient des gens l'origine de certains troubles, les psychanalystes, qui ne sont pas instruits dans la Science initiatique, se lancent imprudemment à remuer toutes les couches enfouies, ils ne font souvent que réveiller tous ces animaux qui se jettent sur la personne pour la dévorer.

Vous devez apprendre à manifester l'amour, à projeter cet amour dans le monde entier comme le fait notre soleil. Tous les soleils se bombardent de rayons à travers l'espace... Bien sûr, nous sommes loin de pouvoir manifester un tel amour; la terre est obscure, elle ne sait pas rayonner, elle ne sait pas encore combattre avec la lumière: aussi la guerre qui existe sur la terre est-elle terrible. Tandis que la guerre que nous fait le soleil a pour résultat des fruits, des fleurs, toute une abondance... Nous ne savons pas encore nous battre comme lui, c'est pourquoi il faut aller voir le matin comment il utilise ses armes, comment il les lance, comment avec ses canons, ses obus, ses fusées, il vivifie tout l'univers.

Il est dit dans la Kabbale que le visage du premier homme était celui même du Créateur. Plus tard, quand l'intellect s'est éveillé en lui (et ce processus est symbolisé par le serpent enroulé autour de l'Arbre de la Connaissance du Bien et du Mal), il a quitté le Paradis, il est descendu dans les régions plus denses de la matière où il a connu le froid, l'obscurité, la maladie, la mort, et son visage s'est altéré. Alors, maintenant qu'il n'est plus l'image fidèle de Dieu, il a perdu sa puissance : les esprits de la nature ne lui obéissent plus et se plaisent à le tourmenter. S'il parvient un jour à retrouver ce premier visage, tous les esprits de l'univers se soumettront de nouveau à lui. Jusque-là, il continuera à ressembler à ce fils prodigue de la parabole qui, ayant quitté la maison paternelle pour courir le monde, finit misérablement comme gardien de pourceaux. Mais au moins ce fils prodigue-là a fini par comprendre qu'il devait retourner dans la maison paternelle. Et vous aussi, finirez-vous un jour par comprendre que vous devez retourner vers la source pour retrouver la lumière, l'amour et la vie du Père Céleste ?

De nos jours les humains cherchent surtout à développer leurs facultés intellectuelles, et c'est très bien. Malheureusement, ils le font aux dépens d'autres possibilités d'exploration, et la vie subtile de l'univers, de l'âme, de l'esprit, échappe à leurs investigations. En descendant dans la matière ils ont oublié leur origine divine, ils ne se souviennent plus combien ils étaient beaux, puissants, lumineux et nobles. C'est la terre qui les préoccupe : l'exploiter et la massacrer pour s'enrichir. Mais l'époque vient où, au lieu d'avoir toujours leur attention tournée vers le monde extérieur, ils reprendront le chemin de l'exploration intérieure ; ils ne perdront aucune des connaissances qu'ils ont acquises pendant des siècles, mais ils ne seront plus concentrés sur le seul aspect extérieur de l'univers. Cette descente dans la matière restera une acquisition extraordinaire pour l'humanité. Mais les humains ne resteront pas là, ils partiront à la découverte d'autres régions encore plus essentielles et profondes.

Cessez de vous identifier à votre corps physique. Vous n'êtes pas votre corps physique : il est votre véhicule, pas plus. C'est parce que les humains se confondent toujours avec ce qu'ils ne sont pas, qu'ils sont désorientés et qu'ils périclitent. Le corps, la matière sont périssables, et si c'est à votre corps que vous vous identifiez, vous périssez avec lui. Tandis que si vous vous identifiez à votre esprit qui est immortel, vous devenez une étincelle, une flamme, et vous pouvez vaincre toutes les difficultés.

Le plus grand mal que se font les humains, c'est d'accepter de s'identifier à la matière qui est corruptible, éphémère, au lieu de s'identifier à l'esprit qui est inaltérable et éternel. Quand l'esprit quitte le corps physique, il continue à exister. Le corps physique n'est que l'instrument qui a été donné à l'esprit pour que nous puissions vivre sur la terre.

Les pensées sont des entités vivantes. Certaines meurent assez vite, alors que d'autres subsistent très longtemps. Cela dépend toujours de la puissance avec laquelle elles ont été formées. Il en est même qui peuvent se maintenir pendant des siècles. Ces entités sont de toutes sortes. Alors, soyez prudents, attentifs, liez-vous au monde sublime. Celui qui laisse sa tête, son âme, son cœur ouverts à tous les vagabonds de l'espace, sera leur victime. Inversement, celui qui sait comment se préparer intérieurement, ne peut attirer que des influences bénéfiques qui viendront l'accompagner pour l'inspirer et le réjouir sans arrêt. Le disciple, qui connaît ces réalités, cherche à ne s'entourer que d'ouvriers lumineux qui viendront l'aider dans son travail.

C'est en apparence seulement que les humains ont résolu les problèmes de la vie collective. Si, extérieurement, ils ont formé des nations, organisé des sociétés dont les membres se soutiennent, et où tous sont au service de tous et peuvent profiter de tout, intérieurement ils restent isolés, agressifs, hostiles les uns envers les autres. Tous les progrès qu'ils sont arrivés à réaliser dans la vie matérielle, pratique, dans le domaine de l'organisation et de la technique, ils n'ont pas su les transposer dans le domaine intérieur. C'est pourquoi, malgré tous ces progrès, l'humanité souffre toujours des mêmes maux: guerres, misères, famines, oppressions, et dans des proportions qui étaient encore inconnues jusqu'à aujourd'hui.

Il faut comprendre une fois pour toutes que les véritables améliorations ne se produiront que grâce à un profond changement des mentalités. C'est psychiquement, spirituellement, que les humains doivent se sentir liés pour parvenir à former la seule société véritable: la fraternité universelle intérieure. Lorsque chaque individu s'efforcera d'atteindre la conscience supérieure de l'unité, alors les sociétés, les peuples et les nations commenceront à vivre dans le bonheur et la liberté.

Même les grands êtres du passé qui reviennent sur la terre sont obligés de s'instruire à nouveau dans les écoles. Vous êtes étonnés ? Eh bien, c'est une loi : tout être qui descend sur la terre, quel qu'il ait été dans le passé, doit recommencer son instruction et son apprentissage. La différence avec les autres hommes, c'est qu'il obtient très vite de grands résultats. Mais tous, sans exception, doivent recommencer le travail pour que leurs qualités se manifestent dans cette vie. Si Mozart n'avait pas trouvé dans une famille de musiciens les conditions nécessaires à l'apprentissage et au développement des dons qu'il ramenait du passé, son génie ne se serait peut-être pas manifesté de façon aussi éclatante. Même les plus grands Initiés, en dépit des pouvoirs et du savoir qu'ils ont acquis dans leurs précédentes incarnations, doivent travailler pour retrouver ce savoir et ces pouvoirs. Alors, combien plus tous ceux qui ne sont pas arrivés à un pareil degré d'évolution !

Les cristaux, les pierres précieuses sont la quintessence de la terre. Les fleurs sont la quintessence de l'eau. Les oiseaux sont la quintessence de l'air. Les Initiés, qui représentent la Divinité sur la terre, sont la quintessence du feu. Et enfin, au-delà du feu, la quintessence de l'éther, c'est-à-dire la quintessence de ces quintessences, c'est tout le monde angélique jusqu'à Dieu, toute cette échelle d'êtres qui montent et descendent entre la terre et le Trône de Dieu, et que Jacob a contemplés.

Il est dit dans les Livres sacrés que l'homme doit devenir une pierre précieuse sur la couronne du Créateur; c'est un symbole. La pierre précieuse est attachée à la terre et se nourrit de la terre, les fleurs ne peuvent vivre sans eau, les oiseaux vivent dans l'air et les hommes meurent s'ils ne sont en contact avec le feu. Le feu est la nourriture des Initiés. Lorsque Zoroastre demanda au dieu Ahura-Mazda comment se nourrissait le premier homme, Ahura-Mazda répondit : « Il mangeait du feu et buvait de la lumière. »

La seule science qui mérite d'être vraiment étudiée est celle de l'être humain. Toutes les autres doivent seulement venir servir cette science-là. Or malheureusement, elle est abandonnée pour le moment au profit de la physique, de la chimie, de l'astronomie, de la biologie, etc. Vous direz: «Oui, mais il y a l'anatomie, la physiologie: ce n'est rien?» Ce sont quelques bases, elles étudient la charpente physique, mais pas encore l'être humain.

Un changement de point de vue est nécessaire. C'est l'être humain total qu'il faut prendre désormais comme centre de l'univers, l'être humain avec la divinité qui vit au-dedans de lui. Toutes les autres sciences doivent contribuer à cette étude et ne pas être considérées indépendamment. Car, en réalité, l'homme est un résumé de tout ce qui existe et toutes les sciences se retrouvent en lui. Quand ce changement de point de vue se produira dans la tête des penseurs, toute l'existence sera transformée, car ce n'est plus ce qui est en dehors de lui, ce qui est matériel, figé, mort, qu'on mettra à la première place, mais la vie, tous les aspects subtils de la vie.

Si nous étions dans le soleil, peut-être n'aurions-nous pas d'ombre. Mais nous sommes sortis du soleil, nous sommes descendus sur la terre et la terre tourne autour du soleil, ce qui produit tantôt l'obscurité, tantôt la lumière. Puisque nous sommes en dehors du soleil, il faut accepter cette alternance : le jour et la nuit, la lumière et les ténèbres, l'activité et le repos, le bien et le mal. Et non seulement l'accepter, mais savoir l'utiliser. Et comment utilisez-vous la nuit ? Merveilleusement, vous dormez, vous ne faites rien, et le matin quand vous vous réveillez vous avez récupéré toutes vos forces, vous vous êtes débarrassé de tous les déchets et de nouveau vous recommencez à agir. Alors pourquoi n'apprenez-vous pas à utiliser le mal, les ténèbres, l'obscurité, les inconvénients ? Pour utiliser le mal, il faut l'intégrer, c'est-à-dire le faire entrer comme matériau dans son travail ; comme en chimie où on ne rejette aucune substance, même la plus toxique, car tout peut être utile.

Dieu a mis en l'homme la possibilité de progresser à l'infini... jusqu'à devenir comme Lui. Malheureusement la plupart des gens cultivent une mentalité déplorable qui les empêche d'utiliser cette possibilité : ils sont comme chloroformés. Pourtant personne n'est absolument ligoté ; même les créatures les plus limitées possèdent les moyens de se dépasser, et si elles tournaient maintenant leur regard et leur pensée vers le Seigneur, elles s'apercevraient de leurs possibilités. Evidemment tout dépend du domaine vers lequel on porte ses désirs. Si l'essentiel pour vous est dans le plan matériel, le succès, l'argent, le plaisir, et qu'il n'y ait aucune place dans votre tête pour les valeurs spirituelles, vous ne pouvez faire aucun progrès. Mais lorsqu'un être donne la première place dans sa vie à l'amour, à la beauté, à l'esprit, sans se préoccuper de savoir s'il sera riche ou pauvre, bien vêtu ou en guenilles, honoré ou ridiculisé, pour lui tout est possible !

Un proverbe arabe dit qu'il existe quatre catégories d'hommes. Les premiers sont tellement
limités mentalement qu'ils ne savent pas qu'ils
ne savent pas. Pour eux, il n'y a rien à faire,
laissez-les. La deuxième catégorie se compose de
ceux qui savent qu'ils ne savent pas; ils sont
sincères, remplis de bonne volonté, instruisez-les.
Dans la troisième catégorie, il y a ceux qui ne
savent pas qu'ils savent, ils sont endormis,
réveillez-les. Dans la quatrième catégorie on
trouve quelques êtres, très rares, qui savent qu'ils
savent. Ce sont les sages, les Initiés, et le proverbe
dit : Suivez-les.

Observez-vous, observez les autres et vous constaterez qu'en acceptant un Enseignement spirituel, le plus élevé soit-il, au bout d'un mois, six mois, un an, cela dépend des personnes, les êtres commencent à tomber dans les plus grandes contradictions: ils sont mal à l'aise, irrités, ils se révoltent, et au lieu d'intensifier le côté positif en eux, leur travail ne fait que développer le côté négatif. Pourquoi? Parce que chaque nouvelle pensée, chaque nouveau sentiment produit des fermentations dans l'être qui ne s'est pas préparé à les recevoir. Quand Jésus disait: «On ne met pas le vin nouveau dans de vieilles outres, on met le vin nouveau dans des outres neuves», il exprimait cette même idée que l'homme doit préparer en lui une forme solide, capable de maintenir et de supporter une philosophie, une idée, un enseignement nouveau. C'est-à-dire qu'il doit s'harmoniser préalablement avec cette philosophie, fortifier et préparer son estomac, ses poumons, sa tête, tout son organisme physique et psychique, afin de pouvoir résister à la tension que vont produire les nouveaux courants qu'il recevra.

Il est essentiel pour vous de savoir réaliser la synthèse de la forme et de la force : il faut protéger la forme pour qu'elle ne soit pas brisée par les forces spirituelles, et en même temps maintenir le feu de l'esprit pour que la forme soit sans cesse animée. Celui qui se cramponne à la forme sera tôt ou tard balayé par les courants cosmiques, car il va contre le sens de l'évolution. Toutes les philosophies, tous les enseignements qui se sont figés dans leurs formes anciennes seront emportés par le déferlement des puissances du renouveau. Tout doit se renouveler, il n'y a pas d'abri sur la terre pour ceux qui ne veulent pas évoluer.

L'homme ne devient véritablement clairvoyant que lorsque son cœur commence à aimer ;
car la véritable clairvoyance, les yeux véritables
se trouvent dans le cœur. Lorsque vous aimez un
être, que voyez-vous en lui ? Des choses que
personne d'autre ne voit. L'amour ouvre les
yeux. La femme qui aime un homme le trouve
pareil à une divinité, et ne lui dites pas qu'elle
se trompe ! En apparence, c'est vrai, elle se
trompe. Mais si elle paraît exagérer les beautés
de celui qu'elle aime, c'est qu'elle le voit tel que
Dieu l'a créé à l'origine, ou tel qu'il sera quand
il retournera dans le sein de l'Eternel. On n'a pas
encore compris la puissance de l'amour pour
ouvrir les yeux. Celui qui veut devenir clairvoyant
doit apprendre à aimer. Il faut que son cœur
appelle au secours comme les aveugles de
l'Evangile : « Aie pitié de nous, Seigneur ! » Et un
jour la lumière cosmique viendra et demandera :
« Que voulez-vous que je fasse pour vous ? –
Que nos yeux s'ouvrent ! – Bien. » Et vos yeux
s'ouvriront.

La plus grande utilité d'un Enseignement initiatique, c'est qu'il nous donne toutes les possibilités d'améliorer nos prochaines incarnations. Celui qui ne comprend pas l'utilité d'un tel Enseignement non seulement n'améliore rien, mais risque encore de perdre les quelques avantages qu'il possédait. Prenons l'exemple d'un homme riche : s'il ne fait rien de bon avec ses richesses, s'il se laisse simplement aller aux plaisirs de la vie ordinaire, quand il reviendra dans une prochaine incarnation, il devra affronter les plus grandes difficultés matérielles. Il ne saura même pas qu'il était très riche dans le passé et que s'il est maintenant dans la misère, c'est qu'il n'a rien fait pour les autres avec ses richesses. Et ce n'est pas seulement vrai pour la fortune, c'est la même loi dans les autres domaines : l'intelligence, la beauté, la santé physique et psychique. Combien d'êtres humains viennent au monde tellement handicapés, parce qu'ils ne connaissaient pas cette vérité essentielle de la Science initiatique : qu'ils sont eux-mêmes les maîtres de leur avenir.

Très peu de choses sont vraiment nécessaires dans la vie. Pour protéger le corps on porte des vêtements, et même si on aime les rubans et les dentelles, ils ne sont pas essentiels. Pour s'abriter on a besoin d'une maison avec des murs, un toit, des fenêtres ; les tableaux, les tapis, les bibelots peuvent venir ensuite apporter un aspect agréable, mais c'est secondaire. Pour la nourriture aussi, très peu d'aliments sont vraiment indispensables ; s'il existe tellement de plats différents, c'est que la variété est agréable au goût. Dans la prière dominicale, Jésus a dit : « Donne-nous aujourd'hui notre pain quotidien » ; il n'a pas dit : donne-nous du beurre, du fromage, du boudin, de la saucisse, non, simplement le pain : il a mentionné l'essentiel.

Nous n'avons besoin que de très peu de choses pour vivre : le pain, l'eau, l'air, la lumière, la chaleur. En transposant ces éléments fondamentaux sur les plans spirituel et divin, nous trouverons tout ce dont nous avons besoin pour posséder la plénitude. Tout le reste est sans doute bon, mais ce n'est pas l'essentiel.

Le bien et le mal sont attelés ensemble pour faire tourner la roue de la vie. Si le bien seul existait, la roue ne tournerait pas. Oui, le bien n'est pas capable de faire le travail si le mal ne lui donne pas un coup de main. Vous direz que le mal est une force contraire... Mais justement, il faut qu'elle soit contraire ! Regardez ce simple geste : quand vous voulez boucher ou déboucher une bouteille, vous vous servez de vos doigts et ils travaillent en sens inverse ; l'un pousse dans une direction, l'autre dans la direction opposée, et c'est ainsi qu'ils réussissent tous les deux à enfoncer ou à ôter le bouchon. Ce travail des forces contraires, nous l'avons chaque jour devant les yeux, et nous devons nous y arrêter pour le méditer.

Le cercle avec un point central est une structure que l'on retrouve partout dans l'univers.
C'est celle du système solaire avec le soleil en
son centre. Et c'est aussi celle de la cellule qui se
compose d'un noyau, d'une substance appelée
cytoplasme et, tout autour, d'une pellicule, la
membrane. Prenez aussi un fruit : au centre vous
trouvez le noyau, puis la pulpe, la chair juteuse
qu'on mange, et enfin la peau ou l'écorce. Tout
organisme vivant est fait d'un centre, puis d'un
espace où la vie circule, et enfin d'une « peau »
qui sert de frontière, de limite.

Du système solaire à l'atome, on retrouve
partout cette structure identique : le cercle avec
un point central. Et l'espace qui entoure le point
représente la matière ; sans espace, la matière
n'existerait pas. Tandis que l'esprit, lui, n'a pas
besoin d'espace ; sa puissance tient à ce qu'étant
un point infime, il agit partout à la fois.

Les humains sont toujours soucieux de l'avenir : ils ne cessent de se demander s'ils auront de quoi manger ou se loger, s'ils ne vont pas manquer d'argent, etc... Et, tellement absorbés par tous ces problèmes, ils négligent des choses plus importantes : ils abusent de leur santé, bousculent les gens et les choses, transgressent les lois de l'amour et de la justice et n'ont plus aucune préoccupation spirituelle. C'est ainsi qu'ils laissent chaque jour des questions mal résolues, des fautes qu'il faudrait réparer mais qu'ils ne réparent pas ; et comme tout cela s'accumule, il finit par arriver un moment où ils sont submergés, écrasés. Voilà pourquoi Jésus disait de ne pas se soucier du lendemain. Car si vous veillez chaque jour à ce que tout votre comportement soit impeccable, le lendemain sera complètement dégagé, et vous serez disponible pour entreprendre ce que vous désirez, tout en restant encore vigilant pour ne rien laisser traîner. Ainsi, chaque jour nouveau vous trouvera libre, bien disposé, prêt à travailler, à étudier, à vous réjouir, et toute la vie prendra une couleur extraordinaire de bonheur et de bénédiction. Voilà comment il faut comprendre : c'est en veillant à tout régler aujourd'hui que vous pensez indirectement à demain.

L'amour est une qualité de la vie divine. C'est pourquoi vous ne trouverez l'amour que si vous parvenez à faire couler cette vie en vous, une vie purifiée, illuminée par la pratique des vertus.

Vous cherchez l'amour et vous croyez qu'il va venir de l'extérieur sous la forme d'un être qui sera exactement comme vous l'attendez : agréable, beau, généreux, patient… Vous, vous êtes ronchon, égoïste, coléreux, et l'amour doit se présenter à vous sous la forme d'un ange ! Eh bien, sachez que votre amour ne sera que le reflet de vous-même. Même si vous tenez un ange ou un archange dans vos bras, vous ne sentirez rien de sa splendeur, tant que vous ne vous serez pas ouvert au monde divin.

Ne vous préoccupez pas tellement de ce qui peut vous venir de l'extérieur : difficultés ou facilités, pertes ou bénéfices. Travaillez seulement en sachant que toutes les possibilités sont en vous-même. Ainsi vous allez vous renforcer et vous deviendrez de plus en plus capable d'affronter toutes les situations.

En quelque domaine que ce soit, vous ne devez compter sur aucune acquisition extérieure, aucun succès extérieur, car rien de ce qui est extérieur n'est définitif et ne peut vous appartenir vraiment ; un jour ou l'autre, cela finit par vous échapper. Il faut seulement travailler pour être fort intérieurement, riche intérieurement, dans votre cœur, votre intellect, votre âme, votre esprit, afin que tout ce que vous avez acquis vous appartienne pour l'éternité. Voilà la véritable liberté, la véritable indépendance.

Travaillez sur vous-même afin de développer les qualités psychiques, morales, qui vous permettront de mieux comprendre et accepter les autres. Car c'est cela, l'essentiel: apprendre à vivre avec les autres. Et pas seulement avec votre famille, vos amis, vos voisins. Vous devez entrer aussi en relation avec toutes sortes de personnes différentes de vous par l'âge, la formation, le milieu social, la nationalité, la race, afin de vous habituer très tôt à toutes les situations humaines. Car si vous n'êtes pas prêt, le jour où vous serez obligé d'affronter ces situations, vous allez vous montrer fermé, incompréhensif et même, sans le vouloir, parfois méchant.

Jésus a dit : « Vous êtes des temples du Dieu vivant ». Oui, un être humain qui a su renforcer sa volonté, purifier son cœur, éclairer son intellect, élargir son âme et sanctifier son esprit, un tel être est devenu un véritable temple, son corps physique lui-même est un temple, et il peut inviter le Seigneur à venir l'habiter.

Malheureusement la majorité des humains ne prennent aucun soin de leur temple, ils ne cessent de l'abîmer en se servant de lui pour assouvir leurs instincts et chercher tous les plaisirs : le corps n'est plus alors un temple, c'est une étable, une écurie. C'est comme dans le Temple de Jérusalem où les marchands avaient amené toutes sortes de bestiaux et de volailles qu'ils vendaient, et personne n'était indigné, tout le monde trouvait cela normal. Mais Jésus a pris des cordes pour en faire un fouet et les a tous chassés en disant : « Otez cela d'ici, ne faites pas de la maison de mon Père une maison de trafic ».

Alors, n'imitez pas les marchands du Temple, ne faites pas de votre corps un repaire d'animaux ; sinon, ce ne sera pas le Seigneur qui viendra l'habiter, mais des entités inférieures, des indésirables qui aiment beaucoup les saletés et se nourrissent de matières impures.

Ne donnez jamais raison à votre nature inférieure. Accordez-lui, si vous voulez, le bénéfice de... la « raison déraisonnable », en disant : « Bon, elle est ce qu'elle est pour des motifs qui ont sans doute été valables dans le passé, à un certain stade de l'évolution, quand l'homme, comme l'animal, devait obéir à ses instincts. Mais maintenant, à un stade plus avancé de l'évolution, l'Intelligence cosmique a d'autres projets pour moi. » Ne suivez donc jamais la nature inférieure, ni ceux qui lui sont soumis. Bien sûr, vous pouvez les excuser en comprenant la cause de leur attitude et de leur conduite, mais n'acceptez jamais de faire comme eux, parce qu'à ce moment-là vous signez votre arrêt de mort. Les comprendre, les excuser, leur pardonner, c'est différent : c'est permis, c'est même souhaitable. Mais vous, suivez votre nature supérieure, vous serez toujours sur le bon chemin et vous pourrez aussi y entraîner les autres.

On a toujours peur de ce qu'on ne connaît pas et qu'on ne sait pas utiliser : comme les animaux qui ont peur du feu, ou comme les primitifs qui ne savaient pas ce qu'étaient les forces de la nature et qui tremblaient devant elles. Maintenant que les humains sont arrivés à apprivoiser ces forces, ils travaillent dans des centrales électriques ou nucléaires : ils appuient tranquillement sur tel bouton, ils ouvrent tel robinet, et ils n'ont pas peur puisqu'ils savent comment manipuler. Mais quelqu'un qui ne sait pas, évidemment, a peur.

L'homme civilisé n'a donc plus peur des éléments et des forces de la nature, mais croyez-vous qu'il soit délivré de la peur ? Non, il a peur de sa femme, peur de son patron, peur de la maladie, peur de manquer d'argent, et surtout peur de l'opinion publique. Il ne craint peut-être ni Dieu ni diable, mais l'opinion publique le fait trembler et il est prêt à tout sacrifier pour elle. Oui, il y a beaucoup de peurs que l'homme civilisé n'a pas vaincues, et tant qu'il n'arrive pas à les vaincre, c'est qu'il ne possède pas le vrai savoir. Seul le vrai savoir permet de remporter la victoire sur la peur.

C'est seulement par votre exemple que vous pouvez convaincre votre entourage de la valeur de l'Enseignement que vous suivez. Que cela soit bien clair pour vous. Vous n'êtes pas dans la Fraternité Blanche Universelle pour apprendre à donner de bons conseils aux autres, mais pour devenir vous-même un exemple vivant bénéfique pour tous. La mission de notre Fraternité, c'est d'apporter dans le monde la paix et la lumière, et si vous voulez vous montrer réellement digne de cet Enseignement, vous devez être capable de dépasser les questions d'intérêt personnel pour ne penser qu'aux intérêts de la collectivité. Si vous êtes capable de vivre dans cet esprit, nous formerons une telle puissance que, même sans rien dire, nous apporterons les plus grandes bénédictions autour de nous. Donc, oubliez vos petits intérêts, ne vous occupez pas des faiblesses des autres, ne leur faites pas la leçon, mais tâchez de vivre tous ensemble en donnant un exemple d'impersonnalité, de patience et d'amour.

Quand je vois quelqu'un qui se vante de pouvoir vaincre les tentations sans avoir de l'amour pour le monde de la lumière, de la pureté, je peux lui dire: «Tu n'as pas d'associé, tu n'as pas d'ami, tu succomberas. Si tu veux triompher, tu dois mettre dans ta tête, dans ton cœur, dans ton âme, tout ce qu'il y a de plus noble, de plus grand, et alors les forces obscures seront obligées de se soumettre et de t'obéir, à cause de la présence en toi de ces habitants du monde divin.» Voilà ce qu'il faut comprendre, sinon comment s'imaginer qu'on fera face aux puissances millénaires de l'instinct? Personne ne peut résister. Il faut être aidé.

Ce n'est pas tellement dans le plan physique qu'il faut essayer d'arranger les choses, car le plan physique est le monde des conséquences, et sur les conséquences nous avons peu de possibilités d'action. Pour produire des changements durables, il faut s'élever jusqu'au monde des causes. L'homme dont la pensée peut parvenir jusque-là a tous les moyens de toucher et de déclencher des forces pures qui produiront tôt ou tard de bons résultats. Tant que vous vous contentez d'intervenir dans le plan physique pour changer l'état des choses, en réalité vous n'arrangez rien, car de nouveau, des événements ou des personnes qui ne vous demandent pas votre opinion, les organiseront d'une façon qui ne vous convient pas et vous ne serez jamais maître de la situation. Travailler à changer les conséquences, c'est comme si on écrivait un mot sur le sable de la mer : les vagues viennent et l'effacent. C'est sur les causes qu'il faut travailler.

Celui qui croit trouver le bonheur dans le plaisir peut être comparé à l'ivrogne : il se verse du vin, de l'alcool et il boit. Ah ! il se sent bien, il oublie tous ses soucis, et il tire donc la conclusion qu'il est magnifique de boire. Oui, si l'on doit se prononcer sur quelques minutes, quelques heures, ça peut paraître magnifique. Mais après quelques années, que va-t-il se produire ? La perte des facultés, l'impossibilité de mener une vie familiale et sociale équilibrée, la déchéance, le crime peut-être... Eh bien, dans de nombreuses circonstances, les gens se conduisent comme l'ivrogne : puisque les choses leur paraissent agréables dans l'instant, ils tirent la conclusion qu'elles le resteront pour l'éternité. Non. Alors, attention : pour quelques minutes agréables par-ci par-là, on doit vivre des années de souffrance. C'est pourquoi il faut être vigilant et se méfier toujours un peu de ce qui est agréable.

Vous savez ce qu'est une troïka… un attelage de trois chevaux. Eh bien, chaque être humain est le conducteur d'une troïka. Les trois chevaux sont symboliquement ses trois corps : physique, astral, mental, qu'il doit diriger en même temps*. Ils sont chacun d'une couleur différente : rouge pour le cheval physique, vert pour le cheval astral et jaune pour le cheval mental. Afin que les trois chevaux soient obéissants et marchent dans l'harmonie, le disciple doit bien tenir les rênes en mains, c'est-à-dire établir le contact par un lien subtil, éthérique : la volonté. Il doit connaître aussi la manière de maîtriser chacun d'eux. Au cheval physique, il faut la sobriété dans la nourriture et les boissons, ainsi que des exercices qui développent la souplesse. Le cheval astral est dompté par la pureté, la douceur, l'amour. Enfin, le cheval mental a besoin qu'on lui impose l'attention, la vigilance. La tâche de l'homme est donc de rétablir sa domination sur ces chevaux afin qu'ils marchent en accord, qu'ils ne le jettent pas par terre et ne le conduisent pas non plus là où il ne veut pas aller.

* Voir note et schéma p.378 et p.379

De la matière à l'énergie et de l'énergie à la
matière, il n'y a ni interruption ni rupture. De
même qu'une force peut se cristalliser en formes,
de même la matière peut se désintégrer et redevenir énergie. Un fruit que nous mangeons se
transforme en énergies qui viennent soutenir non
seulement notre vie physique, mais aussi notre
vie mentale, affective. Grâce à ces énergies nous
pouvons parler, aimer, penser, etc., ce qui prouve
qu'on peut transformer une matière grossière en
une matière de plus en plus subtile, jusqu'à la
transformer en lumière. Et l'inverse est également
possible : on peut transformer la lumière en pensées, en sentiments... et même en nourriture.
Mais là, évidemment, seuls les grands Maîtres,
les Initiés sont capables d'opérer consciemment
cette transformation.

Vous avez tous en vous une flamme et, si faible soit-elle, il est en votre pouvoir de l'alimenter pour qu'elle devienne un brasier gigantesque. Mais commencez par être prudents, ne vous exposez pas à des courants qui peuvent anéantir votre foi, votre amour, votre espérance. Ne fréquentez pas n'importe qui, ne lisez pas n'importe quoi, n'allez pas voir n'importe quel spectacle : choisissez des nourritures pour le cœur, pour l'intelligence, pour l'esprit, qui vous renforcent intérieurement. Quand vous serez vraiment forts, vous pourrez tout affronter, et les mêmes conditions ou rencontres qui vous auraient démolis auparavant augmenteront au contraire votre lumière et votre paix. Lorsqu'une flamme a trouvé suffisamment de nourriture pour devenir un brasier, le vent ne l'éteint plus ; au contraire, il ne fait que l'attiser.

Si vous avez une bonne compréhension des questions économiques et financières, vous saurez comment conserver les richesses spirituelles que vous recevez du Ciel. N'importe quel ignorant sait que s'il ne fait pas fructifier son capital, au bout de quelque temps il n'aura plus rien, car un capital qui n'est plus alimenté est vite dissipé. Mais quand il s'agit du plan spirituel, même les plus instruits se laissent appauvrir : ils oublient que la lumière, la chaleur, la richesse intérieure sont rapidement dépensées si l'on ne travaille pas chaque jour à les augmenter. Il faut sans cesse se lier à la Source inépuisable, à la Source divine, par la prière, la méditation, la contemplation, afin de renouveler chaque jour les énergies qui nous permettront d'accomplir notre travail.

Ce n'est pas parce qu'on se marie et qu'on
ajoute à ses relations un beau-père, une belle-
mère et une quantité de belles-sœurs, beaux-
frères, neveux, nièces, cousins, etc., qu'on devient
conscient de ce qu'est réellement une famille.
Dans la plupart des cas, on s'est contenté d'ajouter à son entourage quelques relations de plus,
mais on garde la même conscience étroite, limitée,
égoïste. Le véritable élargissement de la conscience se manifeste par une attitude de noblesse
et de désintéressement, quand on accepte de subir
quelques inconvénients, de souffrir même, de se
sacrifier pour les autres. Et ce n'est pas encore
tout : le plus grand élargissement de la conscience,
c'est de savoir, de sentir qu'on appartient à la
grande famille universelle des créatures de Dieu,
et de s'en réjouir !

Depuis quelques années, on voit des jeunes se mêler des affaires publiques : ils se prononcent sur la société, la vie du pays, les événements mondiaux, et ils s'organisent pour que leur parole ait du poids. Eh bien, puisqu'ils ont pris la parole et que beaucoup d'adultes sont d'accord pour la leur laisser, ils doivent bien réfléchir à ce qu'ils veulent demander.

S'ils demandent eux aussi la facilité matérielle, les plaisirs, qu'ils ne se fassent pas d'illusions : cela n'est rien de tellement nouveau sous le soleil, c'est ce que réclament les humains depuis qu'ils existent et ce n'est pas très glorieux. « Mais alors, direz-vous, que doivent-ils demander ? » D'être instruits. Et être instruit, ce n'est pas seulement acquérir des connaissances qui permettent d'obtenir des diplômes et d'avoir un métier, non, c'est recevoir cette lumière grâce à laquelle on avance de plus en plus sur le chemin de la liberté, de la force, de la beauté et de l'amour véritable... sur le chemin de la vraie vie.

L'histoire des religions montre que très rarement les humains ont su quelle place ils devaient accorder respectivement à l'esprit et au corps. Pour certains, seul comptait l'esprit, et ils négligeaient tellement leur corps qu'ils dépérissaient. Si le corps est à ce point méprisable et que seul compte l'esprit, pourquoi l'homme descend-il sur la terre? Il devrait rester là-haut, dans les régions éthérées de l'espace. S'il descend s'incarner sur la terre, c'est qu'avec son corps il a un travail à y faire.

La mission de l'esprit est de prendre un corps physique, de descendre travailler sur la terre et l'imprégner de ses qualités, afin qu'elle se transforme en un magnifique jardin où le Seigneur et ses anges viendront se promener. Quand Jésus disait: «Que ta volonté soit faite sur la terre comme au ciel», lui aussi priait pour que la splendeur de l'esprit descende dans la matière.

Votre avenir, vous pouvez le préparer dès aujourd'hui. Par la pensée, par l'imagination, vous avez la possibilité de choisir la meilleure orientation et de demander au Ciel les conditions et les qualités qui vous permettront de vous manifester un jour comme des êtres de paix, de bonté, de lumière. Car c'est une réalité absolue: vous reviendrez un jour sur cette terre, et ce que vous serez, les situations que vous rencontrerez dépendent de vous, de la façon dont vous préparez dès maintenant votre existence future. La compréhension de cette vérité est fondamentale pour votre avenir.

Les athées s'imaginent posséder des qualités supérieures d'objectivité, de logique: eux au moins se prononcent d'après ce qu'ils voient, entendent, touchent, mesurent, etc., tandis que les croyants, tellement obnubilés par leur foi, portent des jugements erronés. Eh bien non, pour aussi intelligent que soit un homme, s'il ne croit pas à l'existence de Dieu, à la réalité de l'âme, à l'immortalité de l'esprit, il lui manquera toujours un élément essentiel pour parfaire ses observations et ses jugements. L'absence de cet élément le retient dans un point de vue superficiel; il s'arrête à la forme, à la surface de l'existence.

Un athée est comparable à celui qui, devant un être humain, ne considère que son anatomie. Tant qu'il s'agit d'identifier les membres, les organes, et de décrire leur apparence, ça va, l'anatomie peut suffire. Mais s'occuper seulement de l'anatomie signifie s'occuper du corps sans la vie, non de la vie elle-même. Il faut que la croyance au monde divin vienne s'introduire en l'homme pour qu'il puisse découvrir la véritable dimension des êtres et des choses, et sentir les courants qui circulent entre eux.

Pour le disciple de la Science initiatique, le soleil n'est pas seulement l'astre qui brille dans le ciel : c'est aussi l'intelligence avec sa lumière ; c'est l'amour, un élan vers ce qui est positif, constructif ; et c'est la vie, la vie spirituelle, la vie pure. Donc le soleil sous-entend toute une science et c'est cette science qui est la véritable panacée universelle. Voilà pourquoi il ne suffit pas d'aller s'exposer à la lumière du soleil physique : l'important, c'est de comprendre ces trois principes supérieurs que sont la chaleur, la lumière et la vie. La panacée universelle n'est pas un breuvage fabriqué par quelque alchimiste ou magicien. Pour la posséder, il faut comprendre et aimer seulement ce qui est divin, ne jamais introduire d'impuretés en soi. Et l'homme ne se nourrit pas seulement dans le plan physique, mais aussi dans celui des sentiments et des pensées. C'est pourquoi nos règles de nutrition embrassent les trois plans ; se nourrir d'aliments purs, mais aussi de sentiments purs et de pensées pures... Les règles de la nutrition concernent la totalité de l'être humain.

Chaque signe du zodiaque est une étape dans la lente transformation de la nature tout au long de l'année. Lorsque le soleil entre dans le Bélier, c'est le début du printemps, le jaillissement des forces, l'éclatement des bourgeons. Cet élan se poursuit dans le Taureau et les Gémeaux avec l'apparition des feuilles et des fleurs. Avec la constellation du Cancer commence l'été : la graine se forme ; puis le fruit mûrit (constellation du Lion). Une fois qu'il est mûr, on fait la récolte (constellation de la Vierge). Puis, c'est l'automne (signes de la Balance, du Scorpion et du Sagittaire) : on cueille les derniers fruits, les feuilles tombent, la végétation meurt et se décompose. Enfin vient l'hiver (signes du Capricorne, du Verseau et des Poissons) : la graine est enfouie dans le sol où elle meurt et s'assimile à la terre ; mais c'est de cette mort que naîtront les nouvelles semences pour de nouveaux jaillissements et de nouvelles floraisons.

La décision de changer d'existence ressemble pour beaucoup à la décision de jeûner : ils commencent par se sentir très mal. Les palpitations, les maux de tête, les crampes, les vertiges qu'occasionne le jeûne chez celui qui n'a jamais jeûné vingt-quatre heures dans sa vie, voilà ce que commence par ressentir − symboliquement parlant − celui qui a décidé d'embrasser la vie spirituelle. Alors, que faire ? Abandonner ? Grâce au jeûne, l'organisme se sentant un peu plus libre, s'est décidé à déclarer la guerre à toutes les impuretés accumulées depuis longtemps et cela ne peut pas aller d'abord sans quelques malaises. Celui qui est capable de supporter un moment les inconvénients du jeûne se rend compte qu'ils disparaissent assez vite, laissant place à un sentiment d'apaisement, de bien-être qui se reflète ensuite sur sa santé physique et psychique.

Il en est de même pour celui qui a décidé de transformer sa vie : il entre dans un monde de vibrations et de courants plus purs, plus intenses, auxquels il n'est pas habitué, et il peut se sentir d'abord troublé. Mais s'il fait preuve de patience, s'il persévère, il constatera quelle purification, quel allègement et quelle clarification vont se produire en lui.

Très peu de gens ont l'intuition de ce que peut représenter un Maître spirituel pour l'orientation de leur destinée, de tout ce que sa présence peut rectifier, améliorer et harmoniser dans leur existence. Avoir un Maître, ça ne leur dit rien, car ils savent qu'avec lui ils ne seront plus tellement tranquilles : le Maître leur montrera leurs lacunes, le danger des chemins sur lesquels ils s'engagent souvent ; alors évidemment ils se sentiront un peu freinés, et ils ne veulent pas. C'est dommage, parce qu'avec cette attitude ils vont au-devant de souffrances et de limitations bien plus grandes que celles qu'ils auraient eu à supporter en suivant les conseils d'un Maître.

Dans certaines Initiations du passé, l'épreuve finale à laquelle devait se soumettre le disciple qui avait franchi avec succès les étapes préliminaires, était l'expérience de la mort et de la résurrection. Il était placé dans un sarcophage où il restait trois jours et trois nuits surveillé par ses Maîtres qui, à l'aide de pratiques connues d'eux, le maintenaient dans un état proche de la mort. Ils détachaient de son corps physique ses corps éthérique et astral* grâce auxquels il pouvait voyager dans l'espace, et pendant trois jours il visitait toutes les régions inférieures et supérieures : il regardait, il était étonné, effrayé, émerveillé, il touchait la vérité. Quand il revenait, les liens qui rattachaient ses corps éthérique et astral à son corps physique étaient de nature totalement différente ; c'est pourquoi tout ce qu'il avait vu, tout ce qu'il avait vécu comme impressions restait présent à sa conscience et il pouvait désormais s'en souvenir facilement et en détail.

* Voir note et schéma p.378 et p.379

Tant que les humains donneront autant d'importance à la possession d'objets, de voitures, de maisons, de terrains, de places en vue... ils ne cesseront d'entrer en conflit les uns avec les autres. Car tout ce qui peut s'acquérir dans le plan physique est limité en quantité, et il est impossible que le monde entier nage dans l'opulence. Cela ne signifie pas que le monde entier ne puisse pas être heureux. Si, mais justement, le bonheur n'est pas l'opulence. Il suffit de très peu de biens matériels pour trouver le bonheur, mais à condition de comprendre qu'il y a un travail à faire pour orienter ses besoins vers le plan psychique, et au-delà, vers le plan spirituel où les possibilités sont infinies. Là, chacun peut se nourrir, s'abreuver autant qu'il le désire, sans entrer en conflit avec ses voisins, ni craindre qu'on vienne le déposséder de ce qu'il a acquis.

L'attraction que l'on éprouve pour un être est quelque chose d'incontrôlable. Vous apercevez un homme, une femme, et vous ne savez pas pourquoi, vous êtes tout de suite charmé, touché par un détail de son aspect physique : son visage, ses gestes, son comportement, une atmosphère qui l'environne... et vous essayez de vous rapprocher de cet être. C'est tout à fait naturel. Seulement voilà, il faut savoir que ces formes de sympathie immédiate ne signifient pas que vous avez trouvé le grand amour, l'âme-sœur. Sauf de très rares exceptions, le choix de la personne avec qui vous pourrez vraiment construire quelque chose d'harmonieux et de stable demande beaucoup de temps et de réflexion.

Lorsque l'homme quitte cette terre, non seulement il doit abandonner ses possessions matérielles, mais tout ce qui lui a été donné dans les autres domaines, soit par les gens, soit par les livres, s'efface aussi, sauf s'il l'a profondément vérifié, expérimenté, vécu. Et quand il revient dans l'incarnation suivante, il doit tout réapprendre avec beaucoup de difficultés. Même le fait qu'il puisse parler ou écrire sur toutes sortes de sujets ne prouve pas qu'il les connaisse vraiment, et il devra recommencer depuis le commencement.

Et regardez encore: les gens se marient, ils ont des enfants, et beaucoup sont aussi démunis et perdus devant ces circonstances que s'ils les abordaient pour la première fois. Pourtant, combien de fois au cours de leurs réincarnations ont-ils connu ces situations! Mais comme ils n'ont jamais cherché à approfondir réellement leurs rôles et leurs responsabilités de maris, de femmes ou de parents, c'est toujours comme s'ils les découvraient pour la première fois; et ils font des bêtises et ils souffrent...

Pour goûter le véritable amour, vous devez commencer par rétablir le lien avec le monde divin, car c'est ce lien qui donne le véritable goût aux choses, et même à l'amour. Quand vous avez renoué ce lien, vous sentez un flot d'énergies supérieures qui vient vous inonder. Seule la présence de ces énergies divines peut donner un goût exquis à votre amour, comme si vous communiiez avec toute la nature, avec tout l'univers.

Quand vous vous sentez angoissé, tourmenté, ne restez pas là à vous bagarrer avec ces états négatifs, car il n'est pas sûr qu'ils lâchent prise. Vous devez trouver d'autres moyens. Vous avez vu un oiseau picorer du grain sur le sol. Voici qu'un chat s'approche. Que fait l'oiseau? Il n'attend pas le chat pour l'affronter, il s'envole. Vous direz: «Mais nous, comment nous envoler?» En vous déplaçant par la pensée, par la prière, vers des régions où règnent la paix, la beauté et la lumière... Certains livres, certains morceaux de musique peuvent vous y aider, mais aussi le contact avec la nature, le travail de l'imagination. L'essentiel, c'est que vous arriviez à changer de plan.

Nous devons prendre pour guides les grands
êtres du passé, mais cela ne signifie pas que nous
devions nous conformer à leur enseignement dans
tous les détails. Ce qu'il faut conserver, ce sont
les principes. Quant aux formes, qui suivent la
loi de la vie, elles peuvent, et même elles doivent
changer, évoluer. C'est la mauvaise compréhension de cette loi qui produit beaucoup de malentendus. Certains, voulant rejeter des formes qu'ils
trouvent dépassées, rejettent aussi les principes.
Et d'autres conservent les vieilles formes parce
qu'ils les confondent avec les principes. Le résultat, c'est que ceux qui rejettent les principes n'ont
plus de boussole pour s'orienter. Quant à ceux
qui s'accrochent aux formes, ils se sclérosent.
Vous direz: « Mais quels sont ces principes qu'il
faut conserver ? » Tous ceux qui mettent l'accent
sur la primauté de l'esprit, c'est-à-dire la bonté,
la générosité, l'amour, la pureté, le sacrifice...
Peu importe les formes dans lesquelles vous les
manifestez, là vous êtes libre. Mais vous n'êtes
pas libre de rejeter ces principes, car ils sont
éternels.

L'eau jaillit pure et cristalline sur la montagne. Au fur et à mesure qu'elle descend, elle reçoit les saletés des régions qu'elle traverse et quand elle arrive à la mer, elle est saturée d'impuretés. Mais bientôt, chauffée par les rayons du soleil, elle se transforme en vapeur et reprend le chemin du ciel, jusqu'au jour où elle retombera sous forme de pluie ou de neige.

Ce voyage de l'eau est symbolique. La destinée humaine est à l'image de ces voyages perpétuels de l'eau entre la terre et le ciel. Comme les gouttes d'eau, les âmes descendent sur la terre, chacune dans un lieu déterminé; de là, elles ont tout un chemin à parcourir, jusqu'au moment où, fatiguées, usées par tous les travaux de la vie, elles retourneront là d'où elles sont venues... pour redescendre à nouveau, un jour, dans un autre lieu. Cela s'appelle la réincarnation.

Vous avez un cœur, il vous appartient, personne n'a le droit d'en disposer à votre place. Mais voilà que vous donnez ce cœur à quelqu'un, un homme, une femme : vous n'avez donc plus de cœur, l'autre en a deux, et comme il est maladroit et ne sait pas porter deux pastèques sous le même bras, il laisse tomber votre cœur qui se casse et vous poussez des cris : « Il m'a brisé le cœur ! — Mais c'est ta faute, pourquoi l'as-tu donné ? Tu devais le garder pour toi. — Oui, mais je l'aime, je l'aime ! — C'est entendu, tu l'aimes, mais tu pouvais lui donner ta tendresse, ton amour, tes chansons... et garder ton cœur pour toi. » Et cela n'est pas uniquement vrai pour le cœur. La nature vous a donné aussi un corps, une intelligence, une volonté : tâchez de les garder pour vous et de n'en distribuer que les fruits, c'est-à-dire les pensées, les sentiments, l'activité, le travail.

Par le seul fait qu'ils sont des créatures, les humains sont liés à tout ce qui, comme eux, a été créé dans l'univers. Chaque être humain a donc des liens invisibles, éthériques, avec les animaux, les plantes, les pierres, ainsi qu'avec les anges, les archanges… Vous direz : «Mais pourquoi?» Il n'y a pas de question à poser, c'est ainsi : il n'existe pas une poussière, pas une cellule, pas un électron dans l'univers qui, par ses vibrations, ne soit pas lié avec tout l'univers. En dépit des apparences, la séparation n'existe pas, c'est une illusion, rien ni personne n'est séparé. Même si nous n'en sommes pas conscients, tout notre être est sans arrêt en liaison avec le cosmos tout entier.

Celui qui vit une vie intense peut vibrer à la même longueur d'onde que la lumière, et même au-delà. Car s'il est vrai que dans le plan physique la lumière est la plus rapide, dans les plans éthérique, astral, mental, l'homme peut atteindre des vitesses beaucoup plus grandes encore; par sa pensée, par son esprit, il est capable de se déplacer à une vitesse de millions de kilomètres à la seconde. La lumière du soleil met huit minutes pour parvenir jusqu'à la terre, tandis que la pensée peut se projeter instantanément dans le point le plus éloigné de l'espace. Le mouvement de l'esprit est beaucoup plus rapide que celui de la lumière. Mais dans le monde physique c'est la lumière qui est pour nous le modèle à suivre, c'est elle qui nous apprend à intensifier le mouvement de la vie.

A moins de cas tout à fait exceptionnels, pour persévérer dans la bonne voie les humains ont besoin d'être influencés, stimulés, car il y a toujours un moment ou un autre où leur ardeur faiblit. Bien sûr, certains diront qu'ils n'ont aucune envie d'être influencés, qu'ils veulent être libres de faire ce qui leur plaît ; c'est pourquoi ils ne tiennent pas à fréquenter une fraternité spirituelle, car ils s'y sentent limités. Eh bien, voilà des gens qui ne sont pas intelligents. Quelqu'un d'intelligent ira justement se mettre dans une situation où il sera empêché de faire des folies, et libre au contraire de se lancer dans des entreprises bénéfiques, lumineuses. Quand vous avez envie de faire des bêtises, au lieu de chercher des conditions favorables pour les faire, il faut au contraire courir dans un endroit où vous en serez empêché.

On peut avoir donné satisfaction à son corps physique ainsi qu'à son cœur et à son intellect, et ne pas encore se sentir satisfait. Pourquoi? Parce qu'on a négligé l'âme et l'esprit, qui eux aussi ont faim et soif. Nourrir le corps physique, le cœur, l'intellect, c'est nécessaire, mais insuffisant, et le fait que de plus en plus d'hommes et de femmes se tournent maintenant vers la drogue est un avertissement. C'est l'âme qui ne peut pas se faire comprendre, elle étouffe, elle veut s'évader vers les régions célestes. Mais les humains, les pauvres, ne savent pas interpréter le langage de l'âme et ils se droguent. Non, ce n'est pas la solution, car la drogue c'est toujours un élément que l'on donne au corps physique. Or, le besoin d'évasion vient de l'âme, ce n'est pas le corps qui veut s'évader. Bien sûr, la drogue est un indice que l'âme veut voyager dans les espaces infinis, mais ce n'est pas la drogue qui peut satisfaire l'âme; et de plus, elle détruit le corps.

Quoi qu'en pensent certains, éduquer les jeunes en leur faisant prendre conscience de la réalité du monde de l'âme et de l'esprit donne d'autres résultats que si on les prive de ces notions. Les événements de la vie se dérouleront pour eux tout à fait différemment. Ou plutôt, ils rencontreront les mêmes difficultés, les mêmes obstacles que tout le monde, mais parce qu'ils disposent de moyens, de forces, de pouvoirs inconnus de ceux qui n'ont pas gardé le contact avec le monde divin, dans des conditions où les autres faiblissent, se découragent ou prennent des chemins tortueux, eux au contraire progresseront, s'amélioreront et deviendront pour leur entourage un soutien, une lumière.

Vous avez un Maître, vous suivez son Enseignement, mais ne vous imaginez pas qu'il vous en restera quelque chose si vous ne faites pas des efforts pour que cet Enseignement devienne en vous chair et os. Il ne suffit pas de répéter : « Notre Maître est bon, notre Maître est sage... » et de faire à l'appui toutes sortes de citations. La bonté et la sagesse de votre Maître sont à lui, pas à vous. Tant que vous ne travaillez pas à les posséder vous aussi, elles vous sont presque inutiles.

Le véritable disciple ne se contente pas de vanter les qualités de son Maître et de citer ses paroles ; il fait sien son Enseignement, il se confond avec lui au point qu'un jour, lorsqu'il parle, il ne sait plus si c'est sa pensée ou celle de son Maître qu'il est en train d'exprimer. Voilà ce que doit être l'idéal du véritable disciple. S'il ne travaille pas dans ce sens, il peut passer vingt ans, trente ans auprès d'un Maître, il ne lui en restera rien, et quand il reviendra dans une prochaine incarnation, il devra réapprendre comme s'il n'avait jamais eu ni Maître ni Enseignement.

Dans le symbole de Mercure: ☿, le Soleil (principe masculin) est représenté par un cercle, et la Lune (principe féminin) par une portion de cercle, comme une côte extraite du Soleil. Ce qui explique pourquoi il est dit dans la Genèse que Dieu a tiré Eve d'une côte d'Adam... Mercure est la combinaison, la fusion intelligente des deux principes masculin et féminin : les Initiés l'ont représenté par le symbole du Soleil surmonté de celui de la Lune, et réunis par le signe + qui est aussi celui de la Terre. A lui seul, ce symbole de Mercure témoigne de la science profonde des Initiés. Une de ses nombreuses variantes est le caducée d'Hermès, constitué par une baguette entourée de deux serpents, qui est resté le symbole des médecins et des pharmaciens.

Il est dit dans la Genèse que Dieu « souffla dans les narines d'Adam un souffle de vie » et que « l'homme devint un être vivant ». La vie de l'homme a donc commencé par un souffle que Dieu lui a donné. Et il est vrai que pour tout être humain la vie commence par une inspiration. Dès que l'enfant a quitté le sein de sa mère, la première chose qu'il doit faire pour devenir vraiment un habitant de la terre, c'est de prendre une inspiration : il ouvre sa petite bouche, il crie, tous l'entendent et se réjouissent en pensant que, ça y est, il est vivant ! Car c'est grâce à cette inspiration que ses poumons s'emplissent d'air et se mettent en mouvement. Et inversement, quand on dit d'un homme qu'il a rendu son dernier souffle, tout le monde comprend qu'il est mort. Le souffle, c'est le commencement et la fin. La vie commence par une inspiration et finit par une expiration.

Les besoins spirituels, il est toujours possible
de trouver les moyens de les satisfaire... justement parce qu'ils sont spirituels et que l'esprit
qui est vaste, libre, infini, échappe aux conditions
matérielles. On peut vous refuser un titre ou une
place dans la société, mais personne ne peut vous
empêcher de vous sentir fils ou fille du Père
Céleste et de la Mère Divine. On peut vous refuser la possession de quelques hectares de terrain,
mais on ne peut pas vous priver de la contemplation de l'infini du ciel; et si vous arrivez à contempler cette immensité, vous éprouverez une plénitude que ne vous donnerait pas la possession
de la terre entière.

Les humains s'imaginent qu'ils représentent dans la nature quelque chose de magnifique, alors qu'en réalité ils sont souvent comme des chenilles lourdes et laides qui mangent les feuilles des arbres et font toutes sortes de dégâts. Il faut qu'ils se décident à rentrer en eux-mêmes pour réfléchir, méditer sur la nécessité de renoncer à certaines tendances inférieures. Ils déclencheront ainsi de nouvelles forces, et au bout de quelque temps, à l'image de la chenille, ils sortiront comme des papillons légers et libres qui ne détruisent pas les feuilles, mais se nourrissent simplement du nectar des fleurs.

La nature a placé partout des signes pour instruire les disciples et leur faire comprendre les transformations qu'ils doivent produire en eux. Le papillon est un symbole de l'âme qui est sortie de toutes les limitations, et c'est cela la résurrection, la vraie. Il ne faut pas s'imaginer qu'il y a une résurrection pour le corps physique : il y a seulement le réveil en soi de quelque chose qui s'était endormi et qui, un jour, après un long travail de maturation, jaillit à la lumière.

Les sommets des montagnes jouent le rôle d'antennes qui captent les courants venus de l'espace. A l'époque où les neiges et les glaces commencent à fondre, les eaux, celles qui circulent à la surface de la terre comme celles qui s'enfoncent sous terre pour traverser les différentes couches du sol, sont imprégnées par ces courants puissants.

Les cours d'eau sont des voies de communication qui relient les plaines et les vallées aux sommets des montagnes; et les sommets, comme des bouches, absorbent et transforment les forces cosmiques. C'est pourquoi, quand vous regardez une montagne, faites-le avec la conscience qu'elle est un transformateur de l'énergie cosmique, et que toutes les eaux qui la parcourent sont imprégnées de cette vie, dont elles vont ensuite abreuver les différents règnes de la nature.

Par ses vibrations, chaque pensée, chaque sentiment touche les régions et les êtres dans l'univers qui lui correspondent. C'est ainsi que s'expliquent nos joies et nos souffrances. Celui qui se laisse aller à une vie animale et grossière entre, sans le vouloir, en relation avec les entités des régions inférieures qui commencent à le tourmenter. Pour sortir de ces régions, il doit faire vibrer plus intensément ses cellules, par la prière, la méditation, ou d'autres activités spirituelles : le chant, la musique...

Abandonnez toutes les occupations inutiles par lesquelles vous vous laissez absorber, car elles ne vous apporteront que des désillusions, et tâchez d'entrer le plus possible en contact avec le monde divin, avec votre Père Céleste. Pensez à répéter souvent cette formule : « Seigneur, que ton Saint Nom soit béni aux siècles des siècles ! » et vos inquiétudes, vos tourments disparaîtront.

Celui qui s'acharne à lutter tout seul contre les instincts en lui ne peut que s'affaiblir. Oui, parce qu'ainsi il s'acharne contre lui-même, et cette division le rend encore plus vulnérable. Il est très dangereux de lutter contre soi-même : non seulement on ne remporte pas véritablement la victoire contre l'ennemi en dedans, mais on finit par se désagréger. Les morales et les religions qui ne cessent de prêcher la lutte acharnée contre le mal ne connaissent pas la vraie psychologie. Il faut apprendre à vaincre, oui, mais sans lutter. Comment ? En demandant à d'autres forces en vous de lutter à votre place, et ces « autres » ne peuvent être que des puissances lumineuses que vous nourrissez grâce à votre amour pour tout ce qui est beau, grand, divin. Au lieu de vous attaquer directement aux instincts et de vous retrouver par terre, ou de devenir refoulé, vous leur opposez des forces lumineuses qui les neutraliseront tout naturellement.

Toute la vie n'est qu'une suite de rencontres, de prises de contact avec des hommes, des femmes, des objets, des situations. Tous veulent connaître et savoir. Pourquoi? Parce qu'ils pensent y gagner quelque chose. Mais attention, c'est souvent le contraire qui se produit. La mouche regarde la toile d'araignée avec une grande curiosité: elle veut savoir ce que c'est, elle ne se doute pas qu'au centre de ce magnifique réseau de filaments se tient une créature très rusée qui en est l'auteur. En s'y aventurant la mouche fait bonne connaissance avec l'araignée, mais elle y perd tout. L'artiste qui a construit ce piège est enchantée, mais c'en est fini de la mouche!

L'existence est ainsi remplie de toiles d'araignée et de pièges qui attendent les curieux et les imprudents qui partent à l'aventure sans instructeur et sans guide.

Pourquoi y a-t-il certains êtres dont la lucidité, la pénétration, la clarté d'esprit augmentent chaque jour, alors que chez d'autres, au contraire, elles diminuent? Parce que les premiers sont liés à l'Intelligence universelle, ils croient en elle, ils l'aiment, et peu à peu elle se révèle à eux car elle est attirée par cet amour. Tandis que les autres, qui ne reconnaissent pas son existence, se ferment le chemin de l'évolution: ils sont centrés sur leur seule intelligence, mais comme elle vit sur ses propres réserves, au bout de quelque temps elle s'épuise. Tous ceux qui rejettent l'Intelligence cosmique, qui la nient, limitent leurs facultés mentales. Maintenant chacun peut choisir, ou le chemin de tous les savants et philosophes matérialistes, ou bien le chemin des Initiés, des grands Maîtres qui reçoivent chaque jour des révélations, parce qu'ils puisent sans cesse à l'océan infini de l'Intelligence cosmique.

Vous devez connaître la nature humaine, savoir une fois pour toutes ce que peuvent être les humains et décider de ne plus vous occuper de leurs manifestations lorsqu'elles déclenchent en vous de mauvais sentiments. Car il existe une correspondance entre ce dont vous vous occupez et l'état dans lequel vous vous sentez ensuite. Si vous vous occupez des défauts des autres, vous éprouverez à leur égard des sentiments négatifs, et ensuite vous serez mal disposés. Vous devez savoir que si vous vivez avec des préoccupations négatives, cet état psychique agira tout à fait défavorablement sur votre for intérieur, et un jour votre visage même reflétera tous ces mauvais sentiments que vous aurez nourris.

La conscience apparaît véritablement en l'homme quand s'éveille chez lui la sensibilité aux notions de collectivité, d'universalité. Cette faculté lui permet d'entrer dans l'âme et le cœur des autres, et désormais quand il les fait souffrir, il éprouve lui-même les douleurs qu'il leur inflige. Il comprend que tout ce qu'il fait aux autres, c'est à lui-même qu'il le fait. Bien sûr, en apparence, chaque être est isolé, séparé des autres, mais en réalité il y a une part spirituelle de lui-même qui entre dans la collectivité, qui vit dans toutes les créatures, dans tout le cosmos. Si ce côté spirituel est éveillé en vous, au moment où vous frappez quelqu'un, c'est vous qui recevez ce coup à travers lui, parce que votre être qui s'est répandu dans tout l'univers, est devenu collectif.

Vous vous sentez fatigué, chagriné, vous avez l'impression que tout le monde vous persécute. Mais le soir vous vous endormez, et en vous endormant vous vous échappez dans l'autre monde. Le lendemain, lorsque vous vous réveillez, vous sentez que tout a changé. Que s'est-il passé? Vous avez réussi à fuir, tout simplement, et les ennemis intérieurs qui vous poursuivaient n'ont pas pu vous rattraper. Cela se fait automatiquement, mais vous pouvez le faire aussi consciemment. Les soucis, les troubles, les tristesses que vous ressentez sont des entités qui vous poursuivent; la seule façon de leur échapper est de changer de monde. Si le trouble se trouve dans le cœur, allez dans l'intellect; s'il se manifeste dans l'intellect, fuyez dans le cœur ou dans l'âme. Si vous vous sentez poursuivi aussi dans l'âme, réfugiez-vous dans l'esprit. Dans l'esprit, rien ni personne ne peut plus vous atteindre.

De la terre aux étoiles, tout est hiérarchisé, c'est-à-dire que les éléments les plus grossiers, les plus lourds s'accumulent en bas, tandis que les éléments les plus légers, les plus purs, s'élèvent. C'est une loi que l'on retrouve sur tous les plans. Le disciple qui connaît cette loi s'efforce de monter très haut par la méditation, la contemplation, la prière, afin de capter les particules de matière les plus subtiles grâce auxquelles il construira ses corps spirituels. Et comme à ces matériaux sont liées des énergies, des entités, plus ils sont purs, plus les énergies et les entités qui sont attachées à eux sont pures et rayonnantes. C'est ainsi qu'en remplaçant les particules usées de son corps par d'autres, nouvelles, le disciple introduit en même temps dans son pyschisme des visiteurs plus évolués.

L'apparence des choses est souvent menson-
gère : derrière la beauté peut se cacher la laideur,
derrière la richesse la misère, derrière la force la
faiblesse. Cette apparence trompeuse, la philosophie hindoue l'appelle « maya » : l'illusion. Le
sage est celui qui arrive à percer le voile des apparences pour découvrir la réalité ; une fois qu'il
l'a découverte, il décide de donner ou de ne pas
donner issue à ses désirs. Et souvent, justement,
en comprenant ce qui l'attend, il abandonne ses
ambitions, il renonce à poursuivre la fortune, la
gloire ou les plaisirs. Tant qu'on ne voit pas, tant
qu'on ne comprend pas « maya », on part à
l'aventure et on tombe dans les pièges ! Mais dès
l'instant où l'on voit les choses sous leur véritable éclairage, on devient plus prudent.

Remplissez une coupe d'eau: même en si petite quantité, elle représente là, chez vous, toutes les eaux de la terre, car symboliquement, magiquement, même une goutte d'eau suffit pour vous lier à tous les fleuves et à tous les océans. Commencez par la saluer afin qu'elle devienne encore plus vivante et vibrante; dites-lui combien vous l'admirez et la trouvez belle, comme vous souhaitez qu'elle vous donne sa pureté et sa transparence. Ensuite vous pouvez toucher cette eau, y plonger vos doigts avec la pensée que vous entrez en contact avec son corps éthérique, que vous absorbez ses vibrations, que vous en êtes imprégné. Si vous faites cet exercice avec un sentiment sacré, vous sentirez votre corps vibrer en harmonie avec toute la nature, vous serez allégé, purifié, et même votre cerveau fonctionnera mieux.

Le Soleil et la Lune avec lesquels travaillent les alchimistes sont les symboles des deux principes masculin et féminin. C'est pourquoi le disciple de la Science initiatique sait que la véritable alchimie est l'alchimie spirituelle, et que les deux principes sur lesquels il doit travailler sont la volonté (le Soleil) et l'imagination (la Lune). Par la volonté et l'imagination, le disciple parvient à transmuter sa propre matière et à devenir, symboliquement, comme le Soleil et la Lune, c'est-à-dire rayonnant et pur. Ce n'est pas un hasard si en astrologie le Bélier est le domicile de Mars, et le Taureau le domicile de Vénus, car c'est en travaillant avec le Soleil et la Lune pour sublimer la force sexuelle (Vénus) et la force dynamique et active de la volonté (Mars) que l'alchimiste obtient tous les pouvoirs spirituels symbolisés par Mercure, l'agent magique.

Si vous voulez vraiment garder votre amour pour un être, ne vous pressez pas de vous rapprocher physiquement de lui, car une fois passées les grandes ébullitions, vous allez vite vous lasser et vous commencerez à voir apparaître les mauvais côtés l'un de l'autre. Pour protéger votre inspiration, tâchez de garder une certaine distance. Ceux qui veulent rapidement tout connaître, tout goûter, n'éprouvent bientôt plus de curiosité l'un à l'égard de l'autre, ils n'ont même plus envie de se rencontrer, parce qu'ils ont trop vu, trop goûté, trop mangé, ils sont saturés, et voilà, c'est fini, leur bel amour est fini. Cet amour qui leur apportait toutes les bénédictions, qui leur apportait le ciel, ils l'ont sacrifié pour quelques minutes de jouissance! Pourquoi n'essaient-ils pas d'être plus vigilants? Pourquoi se privent-ils si vite d'autres sensations tellement subtiles et poétiques?

Quand le Ciel vous donne ses bénédictions, gardez-les précieusement, car le bonheur est dans une constante attention portée aux belles choses, dans la sensibilité à tout ce qui est divin. Lorsque vous sentez que l'esprit, la lumière vous a visité, ne laissez pas s'effacer ces impressions en pensant immédiatement à autre chose; arrêtez-vous un long moment sur elles pour qu'elles pénètrent profondément en vous et donnent des résultats. Ainsi elles laisseront des traces pour l'éternité. C'est une habitude à prendre: au lieu de toujours vous appesantir sur des états négatifs, les déceptions, les animosités, pour les alimenter, les renforcer, laissez-les de côté, débarrassez-vous-en et concentrez-vous sur tout ce qui vous est arrivé de bon, de pur, de lumineux.

Quand vous avez à traverser des épreuves, au lieu de vous plaindre et de pousser des cris, commencez par vous calmer. Puis réfléchissez et demandez-vous : «Quel est le plan du Seigneur et de tous mes amis célestes ? Que veulent-ils que j'obtienne ? »... Peu à peu une lumière se fera et vous comprendrez qu'ils veulent que vous deveniez plus patient, plus résistant, plus intelligent. Ainsi, non seulement vous ne vous révoltez pas, mais vous devenez même reconnaissant, vous remerciez parce que vous sentez que vous êtes en train de vous enrichir. Et les vertus que le Ciel veut vous pousser à acquérir, grâce à cette attitude vous les obtenez beaucoup plus rapidement.

Nous sommes des créatures, et les créatures qui ne reconnaissent pas avoir un Créateur tombent dans l'absurde. Que peut-on attendre de bon de quelqu'un qui refuse de reconnaître une évidence aussi simple : que la création et les créatures ont nécessairement un Créateur ? Regardez, quand un crime a été commis, la première question que se posent les gens, c'est : qui en est l'auteur ? La plupart du temps, il est déjà loin, il n'est pas resté à côté de son « œuvre », et pourtant personne ne doute que cette œuvre ait un auteur ! De même, quand on trouve un tableau et qu'on ne sait à quel peintre l'attribuer parce qu'il ne porte pas de signature, on ne dit pas que ce tableau n'a pas d'auteur, on dit seulement qu'il est d'un auteur « anonyme ». On a beau ignorer qui est l'auteur, on pense quand même qu'il existe. Alors, pourquoi pour cette œuvre grandiose, sublime, qu'est la création, certains prétendent-ils qu'elle n'a pas d'auteur ? Qu'ils disent plutôt, s'ils veulent, qu'elle est anonyme (il y a eu suffisamment de créatures pour s'occuper de donner un nom au Créateur !), mais nier cet auteur est la plus grande aberration.

Pensez à la lumière, concentrez-vous sur la lumière en imaginant qu'elle vous enveloppe, qu'elle pénètre en vous... A ce moment-là, non seulement vous vous sentirez protégé, à l'abri de toutes les influences malfaisantes, mais vous allez attirer les puissances bénéfiques du cosmos, vous allez attirer les anges qui viendront participer à votre travail, vous soutenir dans vos efforts. Pensez à la lumière et imaginez qu'elle jaillit de vous pour s'étendre dans l'espace et pénétrer les consciences de tous les êtres. Il n'existe pas d'exercices plus puissants que les exercices avec la lumière.

Lorsqu'un malade le suppliait de le guérir, Jésus lui demandait: «As-tu la foi?» Pourquoi cette question? Parce qu'avoir la foi, c'est ouvrir une porte pour faire entrer des forces spirituelles. Ce que vous entreprenez grâce à vos seules capacités, par votre seule volonté, obéit à un mécanisme naturel et se trouve donc soumis à la loi des causes et des conséquences. Tandis qu'au moment où vous faites intervenir l'élément foi, vous ouvrez une porte pour faire entrer des puissances qui viennent d'ailleurs, des forces célestes, qui pénètrent dans votre for intérieur où elles agissent, réparent, purifient, guérissent, et même quelquefois quand on ne le mérite pas tout à fait. On peut donc dire que la foi force la grâce; elle ouvre une porte par laquelle la grâce est obligée d'entrer. Mais à condition bien sûr que vous l'ayez préalablement invitée, comme le malade qui demandait à Jésus de le guérir. Par cette demande, il attirait l'attention de Jésus vers lui, et par sa foi, il permettait à la puissance de Jésus de se manifester en lui.

C'est une entreprise difficile de se perfectionner : beaucoup, voyant la lenteur de leurs progrès, finissent par abandonner leurs efforts, tandis que d'autres, tellement déçus d'eux-mêmes, se désespèrent. Eh bien, les premiers sont des faibles et des paresseux, et les autres sont des orgueilleux. Il n'y a aucune raison de se laisser aller au désespoir parce qu'on s'aperçoit qu'on est encore loin de correspondre à l'image magnifique qu'on se faisait de soi- même. Il faut être humble et se dire : « Mon pauvre vieux (ou ma pauvre vieille), tu n'as pas encore réussi cette fois, mais ça ne fait rien, continue... » L'essentiel, c'est de continuer, de ne jamais perdre le désir de progresser. Si vous tombez, ce n'est pas grave, à condition que vous fassiez toujours l'effort de vous relever. Dans toutes les circonstances de la vie, le plus important est de garder le désir de se perfectionner. Car il y a toujours à se perfectionner, l'idée de perfectionnement est inséparable de l'existence humaine.

L'époque actuelle met particulièrement l'accent sur le savoir, mais quel savoir ? La plupart des connaissances que les humains cherchent à acquérir leur servent à gagner leur vie ou à briller devant les autres ; elles ne leur sont d'aucune utilité pour affronter les épreuves de la vie, les chagrins, les découragements. Le savoir initiatique, au contraire, ne vous permet pas de trouver un métier ni d'épater la galerie, mais il vous aide dans toutes les circonstances de la vie intérieure. Au premier abord, on ne comprend pas tellement l'intérêt de ce savoir, il agit lentement, en profondeur, il ne donne pas immédiatement de grands résultats et, même quand vous avez réussi à remporter quelques victoires, il est possible que personne autour de vous ne se rende compte dans quel monde de paix, de lumière, de beauté vous vivez intérieurement. Mais peu à peu, les humains comprendront que cette masse de plus en plus grande de connaissances qui s'offre à eux ne leur apporte pas l'essentiel et ils se tourneront vers le savoir initiatique. Ce savoir concerne l'homme lui-même : il lui donne la possibilité de travailler sur sa propre matière pour devenir maître de toutes les situations.

Le soleil se penche sur les petites graines et leur dit : « Alors, qu'attendez-vous ? Vous devez maintenant donner quelque chose. Allez, au travail ! – Mais nous sommes petites, nous sommes faibles... – Non, non, essayez, vous allez voir, je vais vous aider. » Et alors toutes les petites graines prennent courage. Chaque jour le soleil les chauffe, leur parle, et quelque temps après, on voit apparaître des fleurs magnifiques auprès desquelles les poètes, les peintres, les musiciens viennent s'émerveiller et s'inspirer... Eh bien, maintenant pourquoi ne pas comprendre qu'il peut se passer la même chose avec nous, les humains ? Nous sommes des graines plantées dans le sol divin, et sous les rayons du soleil nous pouvons donner des couleurs, des parfums si extraordinaires, que même les divinités seront extasiées. Parce que regardez : qu'est-ce qu'une fleur ? Elle ne sait ni chanter, ni danser, ni jouer du violon, et pourtant même les danseurs, les chanteurs, les musiciens s'extasient devant elle... Et alors, nous, si nous savons être comme des fleurs, pourquoi les divinités qui sont tellement au-dessus de nous ne viendraient-elles pas s'extasier ? Elles diront : « Oh ! Quelle gentille fleur ! » et elles s'occuperont de nous pour nous rendre encore plus purs, plus lumineux et plus parfumés.

Quels sont les êtres qui suscitent le respect, l'admiration? Ceux qui ont lutté, qui se sont dépassés, qui ont triomphé des obstacles et des épreuves. Pourquoi par exemple les gens, et surtout les jeunes, admirent-ils tellement les sportifs? Parce qu'ils cherchent toujours à se dépasser. Même s'il ne s'agit que de courir, de sauter, de nager ou de grimper, le goût de l'effort, l'endurance, le courage sont toujours considérés comme de grandes qualités. Alors, cela ne vaut-il pas la peine d'essayer de manifester ces mêmes qualités dans la vie de tous les jours? C'est bien de concentrer tous ses efforts à vouloir courir et nager plus vite ou plus longtemps, sauter plus haut, mieux attraper un ballon et taper dedans, mais il est encore plus utile de se dire: « Je serai plus patient dans les difficultés, je vaincrai la tristesse et le chagrin, je me maîtriserai davantage. » Eh oui, là aussi on peut faire des exploits, remporter des victoires. Pourquoi n'essayez-vous pas?

Beaucoup de religions ont présenté le Seigneur comme un être implacable, vindicatif, jaloux, qui voit tout, punit tout et ne pardonne pas. En réalité, non, le Seigneur ne nous punit pas. Il ne veut même pas voir nos fautes. Mais Il a fondé le monde sur des lois, et si nous ne les respectons pas, ce sont elles qui nous punissent, ce n'est pas Lui, Il n'a pas le temps de s'occuper de ça: Il est tout-amour, Il ne vit que dans la splendeur.

Supposons que vous ayez fait une bêtise: vous vous sentez troublé et vous priez: par cette prière, vous sentez que vous échappez à vos tourments, vous vous élevez et vous arrivez jusqu'au Trône de Dieu. Même si vous êtes poussiéreux, déguenillé, Il vous dit: «Entre, sois le bienvenu!» et Il ordonne qu'on vous lave, qu'on vous habille, Il vous invite à son festin et vous êtes heureux et dans la paix. Mais ce bonheur et cette paix ne durent pas. Quand vous redescendez (parce que, bien sûr, vous êtes obligé de redescendre, vous ne pouvez pas vous maintenir très longtemps en haut) de nouveau les tourments recommencent… Et ils continueront jusqu'à ce que vous compreniez que vous devez corriger vos erreurs, réparer le mal que vous avez fait. Ce n'est pas le Seigneur qui vient vous punir, Il a bien autre chose à faire!

La question du communisme et du capitalisme n'a cessé de préoccuper les économistes et les hommes politiques depuis plus d'un siècle. Mais, pour un véritable psychologue, le communisme et le capitalisme, au lieu d'être des idéologies ennemies, sont deux tendances qui existent dans l'être humain et qui sont toutes les deux indispensables car complémentaires : il faut être capitaliste pour mieux devenir communiste, et voici comment. L'être humain possède un grand capital : sa vie, et il a la propriété de ces « moyens de production » que sont ses yeux, ses oreilles, son cerveau, ses poumons, son cœur, ses bras, ses jambes, etc... Il les exerce, les cultive, les entretient, les soigne, les perfectionne, il les conserve pour lui : il est « capitaliste ». Mais quand son capital commence à produire et qu'il organise et oriente bien sa production, il peut alors distribuer ses produits aux autres ; il donne, il anime, il éclaire, il réchauffe : il devient « communiste » !

On ne peut pas être communiste si on ne sait pas d'abord être capitaliste pour faire fructifier son capital, sinon on sera incapable d'apporter quoi que ce soit aux autres. Et on n'est pas non plus un bon capitaliste si on ne distribue pas sa richesse, car à ce moment-là tout ce que l'on possède stagne et pourrit. Communisme et capitalisme, les deux vont ensemble et sont absolument nécessaires pour la bonne marche du monde.

Il est écrit dans la Genèse que Dieu a créé l'homme à son image. Mais quand on parle de l'avenir sublime qui attend l'humanité, il y a très peu de gens pour prendre cette idée au sérieux. Pourtant, si on admet vraiment que l'homme a été créé à l'image de Dieu, il faut être logique et en accepter les conséquences. Et justement, une de ces conséquences, c'est qu'il est promis à un avenir divin, sublime. On n'a pas le droit de limiter la portée de cette vérité, sinon quel avenir envisage-t-on pour l'image de Dieu?

Le jeûne purifie l'organisme, et la pureté est la base de la santé. Lorsque l'homme mange toujours à satiété, les cellules de son estomac et de tous ses organes, trop habituées à compter sur leur maître, savent qu'il les satisfera toujours, et elles deviennent paresseuses. Comme il y a une grande abondance de nourriture, une partie ne peut être absorbée et elle stagne dans les tissus où elle commence à fermenter. Tandis que, pendant le jeûne, les cellules, ne recevant que très peu de nourriture, prennent la décision de devenir plus économes, plus sages et plus actives pour pouvoir se débrouiller. A ce moment-là, il n'y a plus de fermentation dans l'organisme. Celui qui ne jeûne pas s'expose à de grands dangers pour l'avenir parce que ses cellules deviennent passives, paresseuses et faibles.

Il est évident que le jeûne prolongé affaiblit l'organisme, mais si on sait combien de temps, dans quelles conditions et dans quel état de conscience jeûner, les bénéfices du jeûne sont immenses pour la santé.

On rencontre partout des créatures misérables qui s'agitent et balbutient, des créatures qui ont remplacé la lumière par des idéologies fantaisistes, abracadabrantes où elles ne s'y retrouvent plus elles-mêmes. Oui, trente personnes, cinquante philosophies! De plus en plus, le monde est un hôpital, où chacun a à se plaindre de quelque chose: que ce soit seulement l'air, la lumière, la chaleur, la nourriture, ce qui fait du bien à l'un fait du mal à l'autre, et inversement. Prenez une famille: chacun est différent et veut affirmer ses différences. C'est normal d'être différent, mais pourquoi s'entêter à défendre ses différences quand ce sont des faiblesses ou des vices? Même dans la maladie, les gens ont besoin de se différencier: l'un le typhus, l'autre le choléra, l'autre la grippe... (symboliquement parlant). Et qu'est-ce qu'il y a comme fièvres! Toute la famille est fiévreuse, mais différemment: chacun a sa fièvre qui n'est pas celle des autres... Que chacun se montre différent, d'accord; mais que ce soit au moins dans la ligne ascensionnelle!

On entend dire parfois de quelqu'un qu'il a perdu sa dignité d'homme ou d'un autre, au contraire, qu'il a su garder sa dignité d'homme. Pour beaucoup, la dignité n'est pas une notion claire : on a tendance à la confondre avec la fierté ou l'orgueil. Non, notre véritable dignité d'homme, c'est le respect de tout ce que Dieu nous a donné, à commencer par notre corps physique, mais aussi notre cœur, notre intellect, notre âme, notre esprit.

En tant que disciples d'un Enseignement spirituel, vous devez vous pénétrer de la pensée que vous êtes des temples, des tabernacles de l'Eternel où ne doivent entrer et sortir que de la nourriture pure, des pensées, des paroles, des sentiments purs. Tous ceux qui ne surveillent pas ce qui entre en eux ou qui en sort, qui se laissent aller à faire n'importe quoi, à s'occuper de n'importe quoi, à dire ou à penser n'importe quoi, ne peuvent avoir conscience de leur véritable dignité d'homme.

On peut comparer les humains à des fleurs,
des fruits... ou même des légumes! Quand vous
entrez en relation avec eux, que vous les regardez, leur parlez, les écoutez, c'est comme si vous
étiez en train de les respirer, de les goûter même.
Or, que faites-vous la plupart du temps? Vous
regardez leurs vêtements, leurs bijoux, leur
visage, leurs mains, leurs jambes, mais vous ne
cherchez pas à nourrir votre âme de toute cette
vie qui est là, cachée, et qui émane de leur cœur,
de leur âme, de leur esprit. Et c'est dommage.
Alors, désormais, soyez plus attentifs et tâchez
d'apprendre à apprécier les humains qui portent
cette vie subtile, arrêtez-vous devant eux en pensant: «Ce sont des aspects du Père Céleste et de
la Mère Divine!... Merci, Seigneur, merci, Mère
Divine. A travers ces «fleurs» et ces «fruits»,
j'ai la possibilité aujourd'hui de m'approcher de
Vous, de Vous contempler; à travers cette splendeur, je peux respirer vos parfums, goûter vos
saveurs.» Et vous partirez heureux, parce que ces
fruits et ces fleurs vous auront permis de vous
rapprocher du Ciel.

Chaque matin, au lever du soleil, nous rece-
vons des paillettes d'or, nous sommes des cher-
cheurs d'or, car nous aussi nous voulons devenir riches. Mais au lieu d'aller tamiser le sable
des rivières, nous nous tournons vers le soleil en
essayant de capter sa lumière, et de la condenser
en vie, en forces, en inspiration. Les alchimistes, qui avaient étudié cette question en profondeur, disaient que l'or n'est rien d'autre que la
lumière du soleil condensée dans les entrailles de
la terre. Certains d'entre eux ont même su remonter ce processus de condensation et retrouver dans
l'or physique toute la lumière, la chaleur et la vie
du soleil. Grâce à certaines méthodes ils arrivaient
à puiser et à absorber d'une lame d'or tout ce
que le soleil y a condensé d'énergies depuis des
millénaires. On ne sait pas encore quelle puissance est contenue dans quelques grammes d'or !

Il est dit dans les Evangiles : « Veillez et priez, car le Diable, comme un lion rugissant, est prêt à vous dévorer. » Vous appartenez à un Enseignement spirituel où l'on vous révèle les plus grandes vérités, mais dès que vous retournez dans la vie courante, vous oubliez tout, et à la première occasion, comme vous n'êtes pas vigilants, vous êtes mordus. Les diables ne sont pas tellement grands et effrayants ; s'ils l'étaient, on pourrait les voir, se défendre, les attaquer même ; mais la plupart du temps ils sont tout petits et ils se cachent. C'est comme les microbes, on ne se méfie pas d'eux parce qu'on ne les voit pas, et ils ravagent toute l'humanité. Il faut donc désormais avoir des « microscopes », sinon chaque jour les diables sont là : on pose le pied quelque part, une seconde d'inattention, et voilà quelques côtes cassées – symboliquement parlant. Les humains se représentent le Diable avec des cornes, des griffes, des sabots... Mais non, la réalité est bien pire, les diables dont on doit se protéger, c'est l'insouciance, la négligence, l'inattention.

D'après les décrets de l'Intelligence cosmique, tous les organes, l'estomac, le cœur, les poumons doivent travailler avec désintéressement pour le bien de l'être entier. Comment ne pas voir que c'est grâce à ce désintéressement que l'être humain est vivant, en bonne santé? Si les Initiés insistent tant sur cette qualité, c'est parce qu'ils ont compris qu'on reçoit des milliers de fois plus par le désintéressement que par l'égoïsme. En étant égoïste on s'imagine gagner, alors qu'on introduit seulement la maladie en soi. Les humains sont toujours là à essayer d'avoir l'avantage sur leur voisin, de le dominer, de l'évincer, et ils sont même fiers de cette attitude. Cela prouve qu'ils n'ont pas compris la leçon de l'organisme qui leur montre tous les jours qu'avec cette attitude, au contraire ils vont tous péricliter, parce qu'ils introduisent en eux-mêmes les germes de la dislocation. Vous direz: «Oui, mais avec l'abnégation, le sacrifice, il est impossible de vivre, on mourra.» Non, c'est à ce moment-là, au contraire, que vous introduirez en vous la santé, l'harmonie, la résurrection, la vie éternelle.

Prenez un cercle : quelle que soit l'étendue de
sa circonférence, son centre reste toujours un
point minuscule. Comme symbole, la circonférence représente l'âme qui peut s'étendre à
l'infini. Quant au point central, il représente
l'esprit qui n'a pas de dimension, mais qui possède cette propriété particulière de vibrer si intensément qu'il est présent partout à la fois. L'esprit
n'a pas de dimension parce qu'il n'est pas matériel, alors que l'âme, elle, est matérielle. Bien sûr,
elle n'est pas faite de la matière épaisse du plan
physique que nous connaissons, mais de la
matière primordiale qui est pure lumière. L'esprit
ne peut rien créer sans la matière de l'âme dans
laquelle il est enfermé. Quand les physiciens pro-
cèdent à la fission de l'atome, symboliquement
ils ne font rien d'autre que libérer l'esprit, les forces emprisonnées dans la matière.

Même si vous avez eu des dons et des facultés dans une incarnation antérieure, ils ne se manifesteront pas dans cette présente incarnation si vous ne les exercez pas. Il arrive parfois que, sur le tard, quelqu'un se découvre, pour une activité, des aptitudes qu'il ne soupçonnait pas ; il est tout étonné et il regrette de ne pas les avoir découvertes plus tôt. Il faut donc s'exercer dans les domaines les plus divers. Si vous ne réussissez pas, vous pouvez abandonner, mais au moins vous n'aurez pas le regret de ne pas avoir essayé. Il est toujours bon de commencer à travailler dans un domaine pour lequel on n'a aucune disposition particulière, mais il ne faut pas s'obstiner si ça ne marche vraiment pas. Il est préférable pour vous d'exercer les talents que vous avez déjà, plutôt que de vous acharner en vain sur ceux que vous n'avez pas. Il faut savoir où placer ses énergies. Donc, travaillez dans les domaines où vous êtes déjà fort, perfectionnez les qualités et les talents déjà existants en vous et, uniquement dans le temps qui vous reste, essayez d'en éveiller d'autres qui vous manquent totalement.

Vous vous plaignez souvent de ne pas pouvoir compter sur les autres. Vous vous imaginez que, où que vous alliez, quoi que vous fassiez, les gens resteront là où vous les avez laissés et qu'à n'importe quel moment vous les retrouverez disponibles et dans le même état d'esprit. Mais voilà que tout bouge, tout change, tout se transforme. Alors vous pouvez rencontrer les gens, les fréquenter, faire des affaires avec eux, mais ne comptez pas sur leur stabilité, parce qu'alors là vous vivez dans les illusions, et éternellement vous serez malheureux de constater que les choses ne se passent pas tout à fait comme vous l'aviez cru et espéré, que rien ne marche d'après vos désirs. « Mais que faire ? » direz-vous. Travaillez sur vous-même pour vous développer, vous renforcer, vous éclairer, c'est la seule chose qui soit sûre pour faire face à toutes les situations. Si Dieu vous donne quelques amis fidèles, c'est merveilleux, remerciez-Le. Mais compter seulement sur les autres, abandonner cette étincelle vivante en vous pour aller courir après des ombres et des illusions, c'est se préparer des souffrances terribles et si ce n'est pas maintenant, ce sera plus tard, parce que tout change.

La transpiration est essentielle pour la santé. Mais la transpiration physique ne suffit pas. L'âme et l'esprit aussi doivent transpirer. C'est l'amour qui fait transpirer l'âme; et c'est la sagesse qui fait transpirer l'esprit. Evidemment, il faut comprendre le mot «transpiration» de façon très large! La transpiration est le symbole d'un échange parfait qui s'établit entre le microcosme (l'homme) et le macrocosme (l'univers). Physiquement ces échanges se font par la peau; par la peau nous rejetons des déchets et nous absorbons des énergies. Mais dans le plan subtil, ces échanges se font par l'aura qui est notre peau spirituelle. Donc, quand je dis que notre âme et notre esprit doivent transpirer comme notre corps physique, je veux parler des échanges que nous devons faire, dans les plans subtils, avec l'univers tout entier.

Après vous être bien lavé les mains, prenez un verre d'eau pure, de préférence de l'eau de source, tenez le verre dans la main gauche et plongez-y un ou plusieurs doigts de la main droite en vous concentrant sur une qualité que vous aimeriez acquérir, un progrès que vous voudriez réaliser. Des mages blancs ont pu rendre la santé à des malades en leur donnant à boire de l'eau qu'ils avaient ainsi magnétisée. Mais vous, même si vous vous exercez à magnétiser de l'eau, ne vous imaginez pas que par ce moyen vous allez tout de suite guérir des malades. Ce serait très présomptueux. Je ne vous donne cette méthode que comme un exercice: buvez ensuite vous-même cette eau, ou servez-vous-en pour arroser vos fleurs.

Rares sont les adultes qui se demandent si ce qu'ils préparent pour la jeunesse lui fera vraiment du bien, c'est-à-dire l'aidera à y voir plus clair, à s'équilibrer, à se renforcer. La plupart sont à l'affût de ce qui peut attirer les jeunes dont les instincts et les désirs sont en train de s'éveiller, et ils s'empressent de l'offrir à leur convoitise ! Cela commence par les jouets, et cela continue plus tard avec toutes sortes d'objets ou d'activités tout à fait inutiles ou même nuisibles, dont les adolescents n'auraient eux-mêmes aucune idée s'ils ne les voyaient pas affichés partout dans les vitrines des magasins et vantés par la publicité.

Eh bien, ces gens-là sont coupables d'induire la jeunesse en erreur. Car d'abord, ils suscitent chez elle des besoins matériels qu'elle n'a pas la possibilité de satisfaire, et cela entraîne des frustrations, et même le désir d'obtenir malhonnêtement ce qu'elle ne peut obtenir honnêtement. Ensuite, en essayant de lui faire croire qu'elle a absolument besoin de tout ça pour se sentir bien et épanouie, ils la détournent de la véritable recherche du bonheur et du sens de la vie.

Lorsqu'un serpent veut se faufiler dans un trou, il commence par y introduire la tête, et quelle que soit la longueur du reste de son corps, la queue est obligée de suivre, car la queue suit toujours la tête. Vous ne voyez rien là d'extraordinaire, mais cette image est le symbole de toute la pédagogie divine. La tête, c'est la faculté de réfléchir, de raisonner qui donne telle ou telle orientation, et obligatoirement, le reste du corps, c'est-à-dire les actes, suivent.

Vous direz: «Mais ce n'est pas du tout ce qui se passe avec moi. Combien de fois j'ai décidé de vaincre ma paresse, ma sensualité, de me montrer bon, juste, généreux, et toutes ces résolutions n'ont servi à rien». Bien sûr, les transformations ne se font pas tout de suite, mais si vous tenez ces résolutions sans cesse présentes dans votre tête, de même que la queue suit toujours la tête, vous finirez par exécuter ce que vous avez décidé. Tous ceux qui ont persisté, qui ont continué à maintenir une bonne attitude, au moins dans leur esprit, ont fini par entraîner toutes les résistances en eux et à agir comme l'esprit le leur dictait.

Aucun être humain n'est jamais venu sur la terre sans avoir des erreurs à corriger, des dettes à payer. Combien d'Initiés, combien de saints et de prophètes aussi ont souffert pour réparer des fautes qu'ils avaient commises dans des incarnations antérieures ! Cela n'empêchait pas leur âme et leur esprit de vivre dans la splendeur divine, parce que, malgré leur karma, ils travaillaient, ils travaillaient sans relâche, et c'est ainsi qu'ils sont devenus des divinités.

Quoi qu'il vous arrive, vous devez toujours rester conscient qu'il existe en vous une région inattaquable, inaccessible : votre esprit, où vous devez vous réfugier pour travailler. Une fois que vous êtes là, même si le karma vous assaille, vous vous sentez au-dessus, toujours au-dessus : le karma veut vous limiter, vous vous libérez ; il veut vous assombrir, vous vous illuminez... Envers et contre tout, vous continuez votre travail.

Celui qui veut trouver la vérité doit avant tout reconnaître l'existence du Créateur. Et s'il veut bénéficier de sa vie, de sa lumière, de son amour, de sa force, il doit se lier à Lui, entrer en contact avec chacune de ces qualités dont Il est l'unique et véritable source. La seule pensée de l'existence du Créateur travaille déjà bénéfiquement sur lui.

Dieu, on ne peut ni Le décrire ni L'expliquer, ni même Le concevoir, mais celui qui Le cherche sincèrement, qui travaille à se rapprocher de Lui par la pratique des vertus, sent peu à peu Sa présence se manifester en lui comme paix, lumière, amour, force, et plus rien de mauvais ne peut plus l'atteindre. Oui, et c'est d'abord cela qu'il faut comprendre : que vous ne rencontrerez jamais Dieu à l'extérieur de vous, vous ne pouvez Le trouver qu'en vous, comme une présence qui vivifie et illumine tout votre être intérieur.

La manière dont le serpent change de peau est très instructive pour le disciple. Il sent qu'une nouvelle peau a poussé sous l'ancienne, il cherche alors dans les rochers une fissure ou un trou étroit, et il s'y faufile. C'est difficile, il doit forcer pour passer par... la «porte étroite». Mais au sortir du passage étroit, le serpent possède une peau neuve, l'ancienne a été arrachée.

Le disciple doit lui aussi passer un jour par la «porte étroite» qui lui enlèvera sa vieille peau, c'est-à-dire ses vieilles conceptions, ses vieilles habitudes, ses vieux raisonnements. Chacun de vous passera par la porte étroite. Ce sera, bien sûr, un passage difficile, mais ne vous troublez pas, n'ayez pas peur, réjouissez-vous de perdre votre vieille peau pour devenir un être nouveau, avec des idées, des sentiments, un comportement nouveaux.

Lorsque le mystique contemple la Divinité, son âme est comme une femme qui veut recevoir une étincelle, un germe du Créateur. Il se consacre à la lumière de Dieu, il s'expose à elle et il reçoit ce germe dans son âme. Il le porte longtemps afin de mettre au monde un Enfant divin. Dans le plan spirituel, l'homme comme la femme peut concevoir un enfant. En se liant au Créateur, l'homme change de polarité, il devient femme et donne naissance à l'enfant amour et à l'enfant sagesse... De la même façon, si la vierge qui se consacre au service de Dieu se prépare aussi à épouser le Christ, c'est pour enfanter spirituellement. Dans la vie intérieure, il n'y a pas de mariage stérile, mais à condition que la femme, l'homme soit préparé, instruit des lois de la polarisation spirituelle.

Si on sait comment regarder le soleil et travailler avec lui, on acquiert la véritable puissance. Tout ce qui existe sur la terre, les pierres, les plantes, les animaux, les hommes, reçoit la vie du soleil, sa chaleur, sa lumière ; mais seuls les grands Maîtres, les Initiés ont compris la nature de cette énergie : ils ont développé les centres qui leur permettent de la capter et de la transformer.

Pour un Initié, la lumière du soleil est une nourriture, il l'absorbe, il l'assimile pour la projeter ensuite autour de lui. C'est pourquoi il peut éclairer, réchauffer et vivifier les créatures.

Beaucoup de gens qui essaient de se transformer, de changer de vie, se lamentent parce qu'ils voient qu'ils retombent toujours dans les mêmes faiblesses. En réalité, le seul moyen de se corriger de ses défauts, c'est de changer ses mauvaises habitudes, c'est-à-dire de mettre au bon moment d'autres empreintes, d'autres clichés. Mais pour cela il faut être d'une vigilance extraordinaire ; si on n'a pas cette vigilance, on oublie, et l'ancienne habitude, l'ancien cliché se manifeste toujours fidèlement.

Il est dit dans les Evangiles : « Soyez vigilants, parce que le diable est là comme un lion qui rugit et qui cherche à vous dévorer. » Cette vigilance, justement, est le secret du changement. C'est pourquoi désormais vous devez apprendre à faire consciemment d'autres gestes, à prononcer consciemment d'autres paroles, à nourrir consciemment d'autres pensées et d'autres sentiments, afin d'imprimer profondément en vous les clichés de la nouvelle vie qui vient des régions célestes. C'est en vous exerçant tous les jours dans ce sens que vous vous transformerez.

Les mères doivent connaître la puissance de la parole, afin de développer chez leurs enfants les vertus et les qualités qu'elles souhaitent pour eux. Même lorsqu'un enfant n'est pas en âge de comprendre ce qu'on lui dit, la mère peut lui parler ; car pour commencer à parler à un enfant, il n'est pas nécessaire qu'il comprenne, il peut même être endormi. Alors, qu'elle le prenne dans ses bras et qu'elle lui parle doucement, avec beaucoup d'amour, beaucoup de conviction, qu'elle lui décrive ce qu'elle souhaite le voir devenir plus tard... Le bébé ne bouge pas, il n'a rien entendu, rien compris, peut-être, oui, mais la parole est une force agissante. Et dans le subconscient de ce petit enfant, il y a des entités qui ont tout écouté, tout enregistré, et déjà elles commencent à se mettre au travail : dans son cerveau, dans son cœur, dans toutes les cellules et les organes de son corps, elles déclenchent les processus, accumulent les éléments, qui permettront plus tard à l'enfant de manifester les dons, les qualités que sa mère souhaitait pour lui.

L'être humain, comme toute créature vivante, a des besoins à satisfaire, et c'est même ainsi qu'il se définit : par ses besoins, car les besoins sont liés à la vie. Oui, vivre, c'est satisfaire des besoins : besoin de respirer, de se nourrir, de se protéger, d'aimer, d'être aimé, de s'enrichir, de créer... Il n'y a que des besoins ! La différence entre les êtres, c'est seulement le domaine, le plan où chacun cherche à les satisfaire. Celui qui croit pouvoir trouver la plénitude dans le plan matériel finit un jour ou l'autre par être déçu, car en négligeant les besoins de son âme et de son esprit, il creuse en lui un vide que rien ne pourra jamais combler. Et non seulement il sera déçu, mais il se heurtera continuellement à tous ceux − et ils sont nombreux − qui donnent la priorité aux mêmes besoins inférieurs que lui. Seuls les besoins spirituels n'engendrent aucun conflit, aucun heurt, car le monde de l'âme et de l'esprit est vaste, infini...

La puissance de la femme est immense, car
elle possède un magnétisme spécial sous forme
de petites particules subtiles qui s'échappent
d'elle. Ce n'est pas dans le plan physique que la
femme a le plus de pouvoir, mais dans le domaine
des émanations éthériques, et si beaucoup disent
qu'elle est une sorcière, une magicienne ou une
fée, c'est à cause de ce magnétisme que lui a
donné la nature. Grâce à ces émanations, les femmes sont même capables de former des corps de
nature éthérique. Voilà pourquoi si un grand
Maître, si un Sauveur du monde donne le germe
d'une réalisation sublime, du Royaume de Dieu
sur la terre, toutes les femmes ensemble pourront
grâce à leurs émanations construire le corps de
cet enfant collectif. Si toutes les femmes dans le
monde devenaient conscientes de leurs possibilités, elles pourraient grâce à leurs émanations
subtiles contribuer à la formation d'un nouveau
corps collectif, le Royaume de Dieu et sa Justice.

La flamme d'une bougie est un aspect du feu solaire qui nous éclaire, nous chauffe et nous vivifie, dans le plan physique mais aussi dans le plan spirituel. Dans le plan physique, la flamme n'a évidemment pas les pouvoirs du feu solaire, mais dans le plan spirituel, elle a ces pouvoirs, et c'est pourquoi vous devez apprendre à entrer en relation avec elle. Prenez une bougie que vous consacrez en disant : « J'allume cette flamme pour la gloire de la lumière, pour l'Ange du Feu. » Vous l'allumez et vous vous adressez à elle : « Flamme bien-aimée, symbole du Saint-Esprit, symbole de l'Amour divin, symbole du Feu cosmique, symbole du soleil spirituel... » en lui demandant de pénétrer en vous et de tapisser vos cellules d'une couche de feu afin que le Saint-Esprit vienne un jour faire en vous sa demeure. Car c'est ce feu que vous avez allumé en vous qui attire le Saint-Esprit.

On voit la majorité des humains faire tout ce qu'ils peuvent pour satisfaire leurs désirs et réaliser leurs ambitions. Se sont-ils posé une question sur la nature de tous ces calculs, ces projets et ces arrangements? Ont-ils pensé à demander au Ciel: «Ô esprits lumineux, sommes-nous en accord avec vos projets? Quelle est votre opinion? Quel plan avez-vous à notre sujet? Où et comment devons-nous travailler pour accomplir votre volonté?» Très peu se posent ces questions. Et pourtant, rien n'est plus important pour l'homme que de supplier les entités du monde invisible de lui donner la possibilité d'accomplir enfin les projets du Ciel. Car à ce moment-là toute sa vie change: il cesse de se diriger d'après ses folies, ses faiblesses, ses aveuglements, ses convoitises; en s'efforçant de connaître la volonté du Ciel, il se met sur d'autres rails, prend une nouvelle orientation qui correspond aux projets de Dieu. Et c'est cela, la vraie vie!

Les hommes, les femmes entrent insouciants dans une liaison ou dans le mariage en s'imaginant que tout va être facile, léger, plaisant, et puis peu à peu ils commencent à se sentir coincés. Et alors voilà les discussions, les chamailleries, jusqu'à ce qu'ils comprennent que pour rétablir la situation, il faut faire des efforts, s'oublier un peu pour penser à l'autre. Ce qu'ils prenaient pour une récréation est en réalité une école, où commence à se faire cet apprentissage le plus important pour chaque être humain : l'élargissement de la conscience. Vous vous demandez en quoi consiste cet élargissement de la conscience ? Il consiste à sortir de son petit moi limité pour entrer dans l'immense communauté des êtres.

Il est bon que vous recherchiez les occasions où vous pourrez faire preuve de maîtrise, en apprenant par exemple à résister à la faim, à la soif, à la chaleur, au froid, à la fatigue. Il ne s'agit évidemment pas de vivre dans les privations ni de devenir des yogis, non. Mais regardez: en général celui qui a faim ou soif se précipite pour trouver immédiatement de quoi manger ou boire, et s'il ne le trouve pas immédiatement, il se plaint, ronchonne, se fâche. Observez-vous, et vous verrez qu'en toutes sortes d'occasions, vous ne supportez pas de ne pas pouvoir satisfaire aussitôt vos envies et même vos caprices. Alors, comment allez-vous résister à la colère, à la jalousie, à la haine, aux désirs sexuels? Vous aurez beau savoir qu'il vaut mieux résister et vous aurez beau essayer de résister, si vous n'avez pas appris à exercer votre volonté, vous n'y arriverez pas.

L'eau que nous connaissons et dont nous nous servons tous les jours pour nous laver est une matérialisation du fluide cosmique qui remplit l'espace. Par la pensée il est possible d'entrer en relation avec ce fluide et de se purifier à son contact. La première condition pour cela, c'est de se laver avec la conscience qu'à travers l'eau physique on touche un élément de nature spirituelle. Efforcez-vous donc de vous laver avec des gestes mesurés, harmonieux, afin que votre pensée aussi puisse se dégager et faire son travail. Concentrez-vous sur l'eau, sur sa fraîcheur, sa limpidité, sa pureté, et vous sentirez bientôt qu'elle touche en vous des régions inconnues pour y produire des transformations. Non seulement vous serez allégé, purifié, mais votre cœur, votre intellect seront nourris par de nouveaux éléments plus subtils et vivifiants. L'eau physique contient tous les éléments et les forces de l'eau spirituelle, il faut seulement apprendre à les éveiller pour les recevoir.

La meilleure méthode pour se lier à Dieu pendant les méditations est de travailler avec la lumière, car la lumière est l'expression de la splendeur divine. Il faut se concentrer sur la lumière et travailler avec elle, se plonger, se réjouir en elle. C'est par la lumière qu'on entre en relation avec Dieu. La lumière est comme un océan de vie qui palpite, qui vibre; vous pouvez vous enfoncer en elle pour nager, vous purifier, boire, vous nourrir... C'est au sein de la lumière que vous goûterez la plénitude.

Le but de l'Initiation, c'est de faire sortir l'être humain du cercle limité de son moi inférieur pour atteindre le cercle illimité de la conscience cosmique, qui vit au-dedans de lui mais dont il n'a pas encore une connaissance claire. Il existe donc deux pôles : vous-même, ici, la conscience que vous avez de vous-même, c'est-à-dire votre moi inférieur, et votre Moi sublime qui vit aussi en vous, qui travaille et se manifeste, mais dont vous n'avez pas encore pleinement conscience. Vous pouvez imaginer cet Etre sublime qui veut se connaître à travers la matière dense que vous êtes. Il se connaît déjà en haut, bien sûr, mais il veut se connaître à travers vous, à travers la matière opaque. Dans cet effort que vous faites pour imaginer cette approche de votre Moi supérieur, il se produira un jour une telle illumination que votre conscience n'aura plus de limite ; vous serez dans la lumière et vous vous sentirez enfin un avec votre Moi supérieur.

En négligeant le lien qui l'unit au monde divin, l'homme se coupe de ses racines véritables et il perd le sens de la vie. Le monde divin n'est pas comme un pays étranger extérieur à vous et que vous pouvez ignorer sans que cela entraîne de conséquences. Le monde divin est votre terre intérieure, c'est le monde de votre âme et de votre esprit, et en coupant le lien avec lui, vous vous privez des ressources dont vous avez le plus besoin pour vivre.

Dans les épreuves et les difficultés de l'existence, certains retrouvent instinctivement le contact avec cette réalité supérieure. Mais cela ne suffit pas, c'est dans tous les instants de la vie quotidienne que l'homme doit être conscient de la présence en lui de ce monde si riche et si puissant où il peut sans cesse puiser des ressources spirituelles : la force, le courage, l'inspiration...

C'est la peur qui pousse les animaux à devenir attentifs, rusés, intelligents. Mais évidemment, la forme d'intelligence que la peur développe chez les créatures est une faculté très inférieure dans l'échelle de l'évolution. La nature l'a trouvée bonne pour les animaux, mais quand il s'agit des humains, c'est différent; pour eux c'est une autre forme d'intelligence qu'elle a prévue. Si un homme devient attentif, intelligent par peur — peur de perdre son argent, sa maison, sa santé, sa situation, sa réputation — il ne possède encore qu'une intelligence animale. Mais puisque les humains ont pour mission d'aller plus loin que les animaux, un autre sentiment doit naître chez eux pour remplacer la peur: ce sentiment, c'est l'amour. L'amour chasse la peur. Quand l'amour stimule les êtres, la véritable intelligence, l'intelligence divine commence à s'éveiller en eux.

Lorsqu'il vous arrive de réaliser que vous avez fait fausse route, que vous avez servi les forces négatives en vous laissant tenter par de petits plaisirs passagers, faites demi-tour, éloignez-vous rapidement de ces régions dangereuses où vous vous êtes égaré. Comprenez que tout votre avenir dépend des régions vers lesquelles vous vous dirigez.

La religion enseigne que Dieu nous punit pour nos mauvaises actions et nous récompense pour les bonnes. Ce n'est qu'une façon de présenter les choses. En réalité, Dieu ne nous punit pas et Il ne nous récompense pas non plus. C'est nous qui, par nos pensées, nos sentiments, nos actes, choisissons d'aller dans telle ou telle région intérieure; et ensuite nous avons à souffrir, ou alors nous bénéficions des conditions magnifiques de ces régions. Et ce n'est pas la même chose d'aller dans les régions de la lumière ou dans celles des ténèbres !

Les rayons du soleil sont des puissances qui,
partout où elles pénètrent, produisent de grandes
transformations. Des entités habitent ces rayons
et se manifestent différemment suivant leur couleur : rouge, bleu, vert, jaune, etc... Ces rayons,
projetés sur des êtres vivants, font tout un travail
sur eux. Les Initiés se servent de la lumière et des
couleurs pour aider les humains et ils enseignent
à leurs disciples à travailler avec la lumière. Il y
a sept couleurs et à chacune d'elles correspond
une vertu. C'est pourquoi vous devez savoir que
chaque faute que vous commettez atténue en vous
la puissance qui correspond à une de ces couleurs.
De tout temps, les véritables Initiés ont travaillé
avec la lumière, car seule la lumière vous donne
la véritable puissance, le véritable savoir. Avec
le laser, la science officielle découvre peu à peu
la puissance inouïe de la lumière. Mais bien plus
grands encore sont les pouvoirs de la lumière
spirituelle.

Tous les grands Maîtres, tous les grands Initiés nous l'enseignent : l'homme est un esprit, une flamme jaillie, comme la Terre elle-même, du sein de l'Eternel. Il a tout un chemin à parcourir et, en cours de route, il se peut que, comme la terre, il se laisse lui aussi engourdir, refroidir, obscurcir. Mais il est prédestiné à retourner vers les régions qu'il a quittées, et un jour, après beaucoup de temps, après des incarnations et des incarnations, de même que la terre deviendra comme le soleil, l'homme retournera auprès de son Père Céleste. Ce sont les mêmes lois, les mêmes correspondances.

On peut critiquer la philosophie des matérialistes, mais on ne peut pas nier leur bon travail. Ce sont des héros, ces gens-là ! Ils ont pris sur eux le fardeau énorme du travail sur la matière, et ils sont actifs, entreprenants, audacieux, ils sont capables de faire toutes sortes de choses dont les contemplatifs, les mystiques sont incapables.

Mais il ne s'agit pas maintenant de prendre ces constatations comme un encouragement à quitter le camp des spiritualistes pour aller grossir l'armée des matérialistes. C'est bien d'exécuter un travail sur la terre, mais aller s'imaginer qu'il n'y a que la terre qui existe, eh non, c'est une erreur et, quand ils arriveront dans l'autre monde, les matérialistes se trouveront complètement démunis, parce qu'ils n'auront travaillé que pour la terre. Donc, voici la meilleure solution : devenir idéaliste quant à la philosophie et devenir matérialiste quant au travail afin d'être un bon ouvrier dans la matière, c'est-à-dire donc savoir bien penser et bien agir.

Le chagrin, la tristesse, le découragement sont des impuretés que vous avez laissées pénétrer en vous et qui troublent votre organisme psychique, comme le poison ou d'autres substances toxiques troublent votre organisme physique. Si vous savez utiliser les pouvoirs de l'eau, vous pourrez remédier à ces états. Regardez l'eau couler, écoutez-la : que ce soit une source, un ruisseau, une cascade, l'eau qui coule libère le plexus solaire en entraînant les éléments obscurs qui le perturbaient. Car l'eau qui coule est l'image du renouvellement perpétuel de la vie, et en la regardant on est influencé. Evidemment, en ville, dans la vie quotidienne, il n'est pas facile de rencontrer des sources et des cascades, mais alors, ouvrez un robinet ! C'est moins poétique, mais cela peut être aussi efficace. L'essentiel, c'est de se concentrer sur l'eau qui coule.

La sensibilité est un signe d'évolution. Plus la sensibilité augmente, plus l'homme reçoit une vie abondante, intense. Celui dont la sensibilité diminue retourne vers les animaux, les plantes, les pierres. Vous direz que plus on devient sensible, plus on est exposé à souffrir. C'est vrai, mais il est préférable d'augmenter sa sensibilité, même si l'on doit souffrir, car on augmente ainsi l'intensité de la vie. Quant à celui qui possède cette sensibilité, qu'il prenne garde de ne pas la perdre en ne sachant pas garder la mesure. Car ce sont les excès qui émoussent la sensibilité. Si vous lisez trop, par exemple, votre cerveau est saturé et vous perdez le goût de penser. Pour comprendre l'essentiel, il ne faut pas accumuler trop d'idées dans sa tête. Et en amitié, en amour, il faut se surveiller aussi, garder certaines distances. Celui qui se lance à corps perdu dans les effervescences de l'amour finit par être blasé, il ne sent plus rien. La sensibilité se développe chez celui qui sait diminuer la quantité et augmenter la qualité.

Toute la végétation sur la terre, c'est-à-dire aussi les fruits et les légumes que nous mangeons, est imprégnée de forces négatives. La terre est un grand cimetière arrosé du sang des hommes et imprégné de leurs crimes. Et comme ceux qui cultivent les champs et les jardins le font souvent sans amour et dans un état de révolte intérieure, leurs pensées, leurs sentiments entrent dans les semences qui empoisonnent la terre et les fruits. Combien il serait utile de nos jours de réapprendre l'art de cultiver la terre d'après les règles initiatiques! Ces règles, qui étaient connues et respectées dans certaines civilisations du passé, concernent le travail avec les énergies cosmiques, pour que les semences jetées dans le sol captent ces énergies et donnent aux fruits de la terre le maximum de vertus nutritives et curatives. Par ignorance les humains ne cessent de se créer des conditions de vie malsaines. Sans le savoir, ils marchent sur des cadavres, dorment sur des cadavres et se nourrissent de cadavres.

Notre pensée est une matière extrêmement subtile qui a la propriété de parcourir l'espace à une vitesse supérieure à celle de la lumière. Il est donc possible de l'utiliser pour capter des éléments de l'univers, pour aller jusqu'au soleil, pour se lier aux entités célestes, puiser auprès d'elles la force, la lumière et recevoir des révélations. Si vous habituez votre pensée à faire tous les jours ce travail, vous sentirez que vous commencez à vivre véritablement la vie divine.

Toutes les maladies, quelles qu'elles soient, ont pour origine des éléments étrangers que nous avons laissé s'introduire en nous, dans notre organisme physique et dans notre organisme psychique. Et comme ces éléments sont étrangers, ils provoquent des troubles. Il suffit de les chasser et tout se rétablit. Voilà pourquoi la pureté est tellement importante pour la santé mentale et physique de l'homme, la pureté, c'est-à-dire le rejet de tout élément étranger au bon fonctionnement de l'organisme. Malheureusement, dès qu'ils entendent parler de pureté, les humains ferment leurs oreilles. La pureté est une notion qui leur paraît étriquée, dépassée, tout juste bonne pour être respectée dans les couvents, et ils continuent à avaler n'importe quoi : des nourritures indigestes, des atmosphères polluées, des pensées ténébreuses, des sentiments chaotiques. Quand comprendront-ils que ce sont ces impuretés qui créent toutes sortes de troubles en eux ? Qu'ils travaillent sur la pureté et ils seront mieux portants, plus intelligents, plus sages et plus forts.

Les Anciens savaient pénétrer les secrets de la nature : ils s'arrêtaient près d'une source, par exemple, et restaient là longtemps à la regarder couler, vive, limpide, fraîche, et à écouter son murmure. Peu à peu ils entraient ainsi en contact avec l'âme de l'eau, l'âme de la source. Et ils faisaient de même avec le feu, le ciel, les arbres : ils écoutaient, ils contemplaient. Et vous aussi, vous devez devenir attentifs au langage de la nature. Même si vous avez l'impression de ne rien comprendre, cela n'a pas d'importance : l'important, c'est de vous ouvrir, car vous préparez ainsi les centres subtils qui vous mettront un jour en contact avec la vie de la nature.

Combien de personnes sont toujours en train de se plaindre qu'il leur manque ceci, qu'on leur doit cela, qu'on ne les aime pas, qu'on ne pense pas à elles, que les autres sont mal intentionnés... Mais pourquoi ne se rendent-elles pas compte qu'avec leur égoïsme et leurs exigences injustifiées, elles sont en train de décourager tout le monde autour d'elles? Elles ont besoin d'être aidées, soutenues, secourues... c'est d'accord. Mais qu'elles sachent que cette poursuite tellement égoïste du bonheur ne les mènera à rien.

Tous ceux qui ne pensent qu'à «tirer la couverture» à eux, en s'imaginant que le monde entier doit tourner autour d'eux, se préparent une existence de déceptions et de souffrances. Pour être heureux, il faut devenir un serviteur.

Observez-vous quand vous aimez quelqu'un :
la seule présence de ce sentiment en vous vous
pousse à penser et à agir d'une certaine façon,
et pas seulement vis-à-vis de cette personne. C'est
avec tous les êtres autour de vous et même avec
la nature, que vous avez d'autres relations, à
cause de la présence de ce sentiment en vous.

L'amour est une force qui agit sur vous, sur
votre mental, sur votre volonté, sur votre corps
même, il vous donne d'immenses possibilités.
L'amour, c'est comme... de l'essence : si vous
avez de l'essence dans votre voiture, vous pouvez rouler ; mais si l'essence manque, où
irez-vous ?

Les artistes créent, dans une matière extérieure à eux, des œuvres extérieures à eux; et comme c'est sur cette matière extérieure qu'ils concentrent leurs efforts, même s'ils produisent des chefs-d'œuvre, quand on les rencontre, on voit qu'ils ne sont pas, eux, tellement magnifiques. Souvent, on est sidéré : leur comportement, leur attitude sont dépourvus de tout ce qui fait la beauté de leurs créations; ils n'ont ni équilibre, ni harmonie, ni poésie.

Eh bien, sachez que pour les Initiés, le véritable artiste est celui-là qui seul est capable de se prendre lui-même comme matière de sa création. Toutes les méthodes de la vie spirituelle sont là à notre disposition pour nous aider et nous inspirer dans cette tâche. Oui, c'est en nous d'abord que nous devons créer la poésie et la musique, des formes et des mouvements harmonieux, des couleurs chatoyantes. Vous direz: « Mais personne ne verra et n'entendra rien ! » Evidemment, on ne verra ni n'entendra cette harmonie au sens où on voit et entend les formes d'art habituelles, mais votre entourage les sentira et en bénéficiera.

Les véritables racines de la matière sont en haut, tout près de Dieu : ce sont les quatre Animaux saints, les Séraphins. La matière est donc d'origine divine, mais à ce degré de pureté et de subtilité, elle est inconnaissable, inconcevable, car elle ne fait qu'un avec l'esprit. Mais puisque les découvertes de la physique vont dans le sens d'une plus en plus grande subtilité de la matière, peut-être les physiciens finiront-ils par mettre au point des appareils capables d'observer la structure et les mouvements de la matière éthérique. Pour la matière astrale et la matière mentale*, évidemment c'est impensable : on peut seulement travailler avec elles, et d'ailleurs nous travaillons tous, vous travaillez tous avec cette matière, mais de façon inconsciente. Vos pensées, vos sentiments, vos états de conscience sont des processus matériels, mais tellement subtils que les projections, les déplacements de matière qu'ils produisent restent imperceptibles.

* Voir note et schéma p.378 et p.379

Dans la musique, ce n'est pas tellement la compréhension intellectuelle qui compte, mais ce que l'on ressent sous l'effet des sons, des vibrations, de l'harmonie. Est-ce que l'on comprend le chant des oiseaux et des cascades ou celui du vent dans les branches? Non, mais on est captivé, émerveillé. Il vaut toujours mieux chanter les chants dans la langue où ils ont été écrits: même si on ne comprend pas, il existe un rapport entre les mots et la musique, et une traduction détruit ce rapport. La musique n'est pas faite pour être comprise, mais pour être sentie. Même lorsqu'elle s'accompagne de paroles, c'est quand même ce que l'on ressent qui est le plus important. Bien sûr, si les deux − la compréhension et la sensation − marchent ensemble, c'est encore mieux, mais c'est la sensation qui compte le plus.

Jésus disait : « Si vous ne mourez pas, vous ne vivrez pas. » Cela signifie que si nous ne mourons pas à la vie inférieure, instinctive, animale, nous ne pourrons jamais vivre la vie supérieure, la vie de Dieu Lui-même. Nous devons céder la place au Seigneur afin qu'Il vienne régner en nous et tout organiser, car Lui seul est sage, puissant et plein d'amour.

Imaginez que vous vous fondez dans l'espace infini, dans l'Ame universelle, et demandez au Seigneur de venir s'installer en vous. Peu à peu vous allez sentir que c'est Lui qui se manifeste, qui parle, qui travaille : vous êtes vous, et en même temps vous n'êtes pas vous ; vous avez voulu disparaître et non seulement vous n'avez pas disparu, mais vous êtes devenu beaucoup plus vivant qu'avant... Tout s'éclaircit, s'améliore, la vraie vie commence à circuler, et c'est l'abondance, la splendeur, la liberté.

La fête de la Saint-Jean a lieu le 24 juin. Elle est sous la protection de l'Archange Ouriel qui préside à l'été. L'Eglise mentionne trois Archanges, Gabriel, Raphaël et Mikhaël, qui président aux trois fêtes cardinales du solstice d'hiver et des équinoxes de printemps et d'automne, mais pourquoi a-t-elle passé Ouriel sous silence ?... Ouriel est un Archange de la lumière, son nom signifie : «Dieu est ma lumière.» A la Saint-Jean, qui se situe au moment où le soleil entre en Cancer, on allume des feux dans la campagne, car c'est la fête du feu, de la chaleur qui fait mûrir les fruits et toutes choses. Pendant l'été, tout est en feu. Ce feu est aussi celui de l'amour, de l'amour physique, sensuel, cette énergie formidable qui bouillonne dans les créatures. La fête de la Saint-Jean est donc là pour rappeler au disciple qu'il est essentiel d'apprendre à travailler avec le feu de l'amour divin pour transformer tous les instincts en soi.

Tous les êtres humains possèdent une âme et un esprit qui ont, eux aussi, des besoins. Beaucoup ne les ressentent pas, car ils les ont étouffés en se laissant aller à une vie sans idéal. Mais ces besoins sont là, et quelquefois ils se manifestent chez les êtres sans qu'eux-mêmes puissent en comprendre le langage. Vous croyez que les jeunes qui se droguent (et même les adultes qui s'arrachent les cheveux devant cette situation) comprennent que l'attirance vers la drogue est une expression, un appel de l'âme affamée d'infini et qui réclame sa nourriture ?... Car que reste-t-il à l'âme, dans une société où l'on a détruit toute croyance en un monde divin et où on lui présente comme idéal la réussite économique ou sociale ? Puisqu'on la prive des aliments spirituels dont elle a besoin pour s'élancer dans l'espace, elle va chercher ces éléments dans la matière, dans des substances comme l'alcool, le tabac, la drogue... Eh oui, lorsqu'on ne donne pas à l'âme les aliments spirituels dont elle a besoin, elle cherche à se débrouiller avec des aliments matériels, et c'est la catastrophe.

La famille n'est pas une fin, un but, elle n'est qu'un point de départ. Ceux qui se concentrent sur leur famille et ne travaillent que pour elle en oubliant tout le reste autour, ne se rendent pas compte qu'ils sont en train de créer des conditions pour l'incompréhension et l'hostilité entre toutes les autres familles, et cela finira par ressembler à une lutte de clans, de tribus. Le pire c'est qu'avec cet état d'esprit, il n'est même pas sûr qu'ils rendent leur propre famille heureuse. La preuve : à l'heure actuelle, on voit de plus en plus de familles se disloquer. Après quelque temps, les parents se séparent pour nouer d'autres liens ailleurs, et les enfants se retrouvent avec un père d'un côté, une mère de l'autre... Et alors, c'est cela, le bonheur de la famille ?... Combien de notions il faut maintenant redresser !

Combien de disciples affirment devant les autres que leur Maître leur parle intérieurement ! Evidemment, on peut raconter ce qu'on veut, mais il y a des critères irréfutables pour reconnaître si c'est vraiment le Maître qui leur parle ou si c'est seulement leurs élucubrations qui leur donnent des illusions. Avant de prétendre que votre Maître vous parle, sachez qu'il y a trois critères à remplir. D'abord, vous êtes capable de distinguer clairement le chemin à suivre et vous marchez fermement sur ce chemin. Ensuite, vous devenez de plus en plus ouvert aux autres, capable de comprendre, d'aimer et d'aider toutes les créatures, et vous ressentez dans votre cœur une véritable dilatation qui vous pousse à remercier le Seigneur à chaque instant. Enfin, votre volonté se libère et vous êtes capable d'accomplir sans entrave tout ce qui est juste, bon et beau. Si réellement vous réalisez ces trois conditions, vous pouvez espérer qu'en effet la voix que vous entendez est bien celle de votre Maître. Mais est-ce nécessaire d'aller le dire partout autour de vous ?...

Chaque faute dans nos pensées, nos sentiments et nos actes chasse en nous certaines entités
spirituelles qui ne peuvent supporter cette
désharmonie. Ceux qui la supportent sont les
esprits inférieurs, mais les esprits lumineux nous
quittent. Menez pendant huit jours une vie désordonnée, vous constaterez que des ouvriers du Ciel
vous ont quitté : vous n'arriverez plus à retrouver
votre paix, votre légèreté, votre inspiration.

Tout votre avenir dépend de la bonne compréhension de cette vérité, que c'est par votre attitude que vous chassez ou attirez les esprits lumineux. Et il ne tient qu'à vous que les esprits les
plus évolués viennent s'installer dans votre cœur
et dans votre âme. A ce moment-là, vous deviendrez maître de vous-même, solide en toutes circonstances, et vous entrerez en possession de
votre véritable visage d'homme : vous rayonnerez
dans l'espace cosmique et jusqu'aux étoiles, com-
muniquant aux plantes et aux astres des vibrations plus subtiles. Acceptez cette vérité et vous
posséderez la clé puissante de la réalisation.

Ne vous révoltez pas contre vos parents et votre milieu familial, et ne vous dépêchez pas de les quitter en pensant que vous allez trouver tellement mieux ailleurs. Car si la destinée vous a fait vous incarner dans cette famille-là et pas dans une autre, ce n'est pas sans raison; vous avez là quelque chose à apprendre, à comprendre. Il existe dans l'univers une justice, une intelligence absolue qui a déterminé exactement d'après vos mérites dans quelles conditions vous deviez vous incarner, à quelle époque, dans quel pays, dans quelle famille... Et il est inutile de vous plaindre, ça ne changera rien, vous devez accepter cette situation et travailler, afin de mériter de meilleures conditions d'existence pour la prochaine incarnation.

Prenons l'exemple d'un grand artiste, d'un véritable clairvoyant, d'un mathématicien génial : ils possèdent un don. Et qu'est-ce qu'un don ? C'est une entité qui s'est installée chez un être pour se manifester à travers lui. Bien sûr, nos contemporains n'admettront jamais que les talents, les capacités sont des entités qui habitent les humains. Mais alors, comment expliquent-ils qu'il leur arrive de perdre tel ou tel don ? Justement, parce que c'est un hôte qui a bien voulu s'installer chez eux, mais comme ils lui ont créé des conditions désagréables en se laissant aller aux désordres des passions, cet être-là a fini par s'en aller. C'est arrivé avec beaucoup de gens qui, au lieu de garder précieusement le trésor qu'ils possédaient, l'ont dilapidé par une vie de folies et d'intrigues. Ils s'imaginaient que leur talent était quelque chose d'acquis pour toujours. Eh non, malheureusement non.

Si vous ne voulez pas perdre vos dons, si vous voulez les amplifier ou en acquérir d'autres, vous devez préparer pour les entités célestes une demeure convenable, la paix, l'harmonie, le silence. Ce n'est qu'à cette condition qu'elles viendront s'installer en vous.

Note:

L'Arbre de Vie est un schéma symbolique qui résume toute la science initiatique, les doctrines de tous les Initiés. On peut le comparer à une graine, à une semence: plantez-la, elle fera apparaître devant vous toute la création avec la multitude des créatures. Ce schéma peut devenir un instrument magique, un pantacle parmi les plus puissants. Tout est là, tous les principes, tous les éléments, tous les facteurs avec lesquels le Seigneur a créé le monde.

Vous avez là un système qui vous aidera à ne pas vous disperser dans votre travail spirituel. Si vous travaillez des années sur ce tableau, vous introduisez en vous-même un ordre, un équilibre; tout en vous devient organisé, harmonisé. Dès que vous avez un peu de temps, arrêtez-vous sur l'Arbre de Vie, choisissez une séphira, concentrez-vous sur elle et cherchez à développer les qualités ou les énergies qu'elle contient. Que vous ayez besoin de lumière, d'amour, que vous ayez besoin de force, de protection, de générosité, de justice ou de vie... adressez-vous à l'Arbre de Vie: il est là à la disposition des fils et des filles de Dieu qui ont besoin de se nourrir de la vie divine.

Omraam Mikhaël Aïvanhov

LES FRUITS DE L'ARBRE DE VIE
Tome 32 – Œuvres Complètes

Certains penseurs, voyant les effets négatifs
de l'influence familiale, ont voulu y remédier en
mettant en cause l'existence même de la famille :
d'après eux, ce n'était plus elle qui devait assurer
l'éducation des enfants, mais des institutions con-
trôlées par l'Etat. Ce sont là des conceptions
déplorables qui donnent des résultats catastro-
phiques. Les enfants deviennent de petits monstres, étrangers à leurs parents, et dans certaines
circonstances ils vont même jusqu'à les dénoncer
à la police ; c'est affreux ! Il ne faut pas détruire
la famille. Les membres d'une famille ont entre
eux des liens sacrés. Il faut protéger la famille,
mais simplement en élargir la compréhension. Cet
élargissement nécessite tout un travail et c'est à
la jeunesse maintenant de l'apporter.

L'argent est nécessaire, aucun être raisonnable ne vous dira que vous pouvez vivre sans argent, car vous deviendrez un clochard ou un parasite. Ce n'est pas non plus une solution de supprimer l'argent, comme le suggèrent certains en pensant qu'il est la cause de tous les malheurs de la société. L'argent est un moyen d'échange, et si on le supprimait, on serait obligé de le remplacer par autre chose ; car la vie en société est fondée sur les échanges et on se retrouverait donc placé devant le même problème, d'avoir une autre monnaie. Si l'argent fait des dégâts, ce n'est pas lui le fautif, mais la personne qui s'en sert et qui, à travers lui, s'efforce de satisfaire ses convoitises : du moment qu'elle a de mauvaises intentions dans la tête, l'argent est là pour l'aider à les réaliser. Mais qu'elle mette d'autres projets dans sa tête, le même argent deviendra dans ses mains une bénédiction.

Nous pouvons par la pensée agir sur notre comportement, et inversement par le comportement nous pouvons agir sur nos pensées. Si nous avons de mauvais instincts qui ont déformé notre démarche, nos gestes, nos expressions, ou si nos activités nous ont contraints à adopter des idées et des sentiments qui ont provoqué des changements en nous, nous avons le même pouvoir de redresser nos mouvements, nos expressions. Supposez que, durant quinze jours, vous n'ayez pas été baigné dans une atmosphère mystique et que vous n'ayez pas pu méditer, prier, vous recueillir : dans votre isolement vous vous êtes laissé aller à vos penchants ordinaires, et cela se reflète sur tout votre comportement. Vous devez alors retourner la situation en disant : « Par la volonté, en faisant certains gestes, en accomplissant certaines actions, je vais déclencher l'amour qui coulera à nouveau en moi et je retrouverai mon inspiration. » En agissant ainsi, vous sentez peu à peu réapparaître le même sentiment magnifique de jadis, la même plénitude.

Un véritable Initié qui cherche l'harmonie, la
perfection divine, sait que cette perfection se
reflète partout dans la nature, mais il sait aussi
qu'elle n'est nulle part mieux représentée que
dans un corps humain. Partout ailleurs on la voit
éparpillée : les océans, par exemple, représentent
une partie de ce corps humain, les rivières une
autre, les montagnes, le ciel, encore d'autres. Il
n'y a que l'homme et la femme qui puissent exprimer cette beauté en plénitude : Dieu a résumé
dans l'homme et la femme toute la création, tout
ce qui existe dans le cosmos. Quand ce reflet est
parfaitement réalisé dans un corps humain, un
Initié le contemple avec délice. Il se dit : « Voici
une créature qui reflète mieux que les autres toutes les vertus de Dieu. » Mais il ne s'arrête pas
à cette créature ; en la contemplant, il cherche à
retrouver la splendeur du Créateur.

Pour que votre âme soit visitée par les êtres invisibles qui vous aideront, vous protégeront et vous transformeront, travaillez à créer une atmosphère purifiée de tout élément désharmonieux. C'est au sein de l'amour, de la beauté, de la pureté, de la lumière, que de grands changements peuvent se produire en vous.

Lorsque vous êtes dans une forêt, près d'une source, au bord d'un lac, restez là, immobile, laissez-vous pénétrer par le silence, la fraîcheur, la transparence. Lorsque vous écoutez chanter l'eau et les oiseaux, bruire les feuillages, lorsque vous regardez les étoiles, la nuit, abandonnez-vous à cette paix, à cette harmonie... Et il faut aussi apprendre à sentir les humains comme vous sentez la nature. Quand vous êtes devant un être qui répand des parfums comme un jardin fleuri, de la musique comme une source, tâchez de le sentir, car cet être-là peut vous éclairer, vous guider, vous sauver.

Qu'ils le disent ou non, qu'ils en soient conscients ou non, tous les hommes, toutes les femmes cherchent leur âme-sœur. Mais ce que la majorité ne savent pas, c'est que l'âme-sœur est une notion de la vie intérieure. Pour trouver son âme-sœur dans un homme ou une femme, il faut d'abord l'avoir trouvée intérieurement, par la méditation, la contemplation, sinon toutes les expériences seront plus ou moins vouées à l'échec. Voilà une vérité très importante à connaître. Si l'homme a trouvé en lui le principe féminin et la femme le principe masculin et qu'ils veuillent le servir, travailler pour lui, qu'ils s'aiment, qu'ils se marient, leur amour sera une source de bénédictions ! A travers son bien-aimé, la femme verra le Père Céleste, et l'homme à travers sa bien-aimée verra la Mère Divine... A ce moment-là, tous les trésors s'ouvriront devant eux et ils vivront jour et nuit dans le ravissement, l'extase et la beauté.

Avez-vous quelquefois comparé combien de temps vous passez réellement avec le monde extérieur : quelques minutes, quelques heures... et combien de temps vous êtes avec vous-même : toute la journée, toute l'existence. Cela prouve que votre vie intérieure est plus importante et qu'il faut que l'abondance, la richesse et l'ordre soient d'abord en vous, plutôt qu'à l'extérieur. Or, on voit le monde extérieur se remplir d'objets, de produits, d'appareils, de constructions, d'armes de toutes sortes, tandis que les humains intérieurement vivent de plus en plus dans le désordre, la faiblesse, la misère, le vide. Il est temps qu'ils pensent à réaliser intérieurement tout ce qu'ils s'occupent à réaliser extérieurement. C'est en nous que nous devons avoir la richesse, la beauté, la force ; car ce que nous aurons ainsi obtenu, personne ni rien ne nous l'enlèvera.

Le soleil envoie partout dans l'espace des particules lumineuses d'une très grande pureté. Et si vous savez comment vous concentrer, vous arriverez à rejeter de votre organisme beaucoup de vieilles particules usées, ternes, pour les remplacer par ces nouvelles particules qui viennent du soleil. Voilà un exercice extrêmement utile que vous pouvez faire le matin au lever du soleil. De tout votre cœur, de toute votre âme, essayez de prendre ces particules divines et de les placer en vous ; ainsi, peu à peu, vous renouvellerez la matière de votre être, vous penserez et vous agirez comme un fils de Dieu, grâce au soleil.

Un homme a beaucoup de poules dans son
poulailler, il est très généreux, très gentil pour
elles: chaque jour il les soigne, il leur lance du
grain. Et pourtant, l'une après l'autre les poules
disparaissent. Pourquoi? Que se passe-t-il? Eh
bien, c'est l'homme qui vient les chercher, il leur
coupe la tête, puis sa femme les met à la casse-
role. C'est ainsi qu'après les avoir soignées, ils
les mangent en disant: «Hm! que ce poulet est
succulent, tout à fait à point!» Voilà ce que la
plupart des humains appellent aimer, ils ressentent l'amour comme un appétit qu'il faut assouvir. C'est une tendance ancienne qui leur vient du
règne animal et sur laquelle ils doivent travailler.

Dans la nouvelle vie, on apprendra que la première règle à observer quand on aime quelqu'un,
c'est de penser à lui, et non à soi. L'amour, c'est
d'abord de vouloir découvrir de quoi a besoin
l'âme de l'être que l'on aime, comment on peut
l'aider dans son évolution, comment on peut lui
donner de bonnes conditions pour croître, se
développer, se libérer.

Vous devez savoir que chaque geste est magique. Par conséquent, lorsque vous rencontrez quelqu'un le matin, ne lui dites pas bonjour avec un récipient vide, parce que, sans le vouloir, sans le savoir, vous êtes en train de lui souhaiter le vide, la pauvreté, l'échec pour toute la journée. Vous direz que cela n'a aucune importance, que dans le monde les gens ne font pas attention à ça... Si les gens sont inconscients, ce n'est pas une raison pour les imiter. Qu'ils agissent comme ils veulent, mais nous, ici, qui apprenons les lois de la nouvelle vie, nous devons nous entraîner à être conscients en toute chose. Donc, quand vous rencontrez vos amis, le matin, non seulement ne le faites pas avec des récipients vides, mais mettez aussi beaucoup d'amour dans votre cœur, et souhaitez-leur une bonne journée. Si vous savez travailler avec les forces positives de la nature, tout le monde vous estimera et vous aimera.

Pour beaucoup de gens, les états mystiques de ravissement, d'illumination, sont des états anormaux, dangereux même. D'après eux, il faut faire seulement confiance à l'intellect, car là au moins c'est sensé, on a la tête sur les épaules. Mais quand il s'agit de se laisser aller aux plaisirs, aux instincts, aux passions, ah, c'est différent. Au lieu de faire marcher leur intellect et de voir qu'ils vont introduire en eux toutes sortes d'éléments nocifs qui les ravageront, ces gens tellement posés et raisonnables s'en donnent à cœur joie. Dans ce cas-là, ils pensent qu'il est non seulement permis, mais préconisé de ne pas faire intervenir la raison, pour mieux se laisser aller aux attirances et aux sensations. Et c'est cela qu'ils appellent « vivre ». Eh bien, ils se trompent : c'est là au contraire qu'il serait souhaitable de garder la tête froide, de refuser ces plaisirs et d'essayer au contraire de vivre des états divins.

Quels sont les gens que vous avez tendance à remarquer et à apprécier ? Ceux qui sont riches, savants, glorieux, ceux qui ont remporté des succès, qui ont une place en vue dans la société. Et quand vous rencontrez des êtres qui manifestent de grandes qualités morales : la patience, la bonté, l'indulgence, la pureté, la générosité, vous ne les appréciez pas, et d'ailleurs vous ne les remarquez même pas. Combien cette attitude est erronée ! Car c'est grâce à ces êtres qui n'attirent ni l'attention ni les regards que l'existence est encore possible sur la terre. Pendant que les autres se démènent pour se faire remarquer et occuper les premières places, eux, dans l'ombre, modestement, poursuivent leur activité bénéfique. La lumière, la paix, l'harmonie qui émanent d'eux purifient l'atmosphère et rendent l'air plus respirable pour tous. Je ne vous dis pas cela pour que vous vous détourniez de tous les gens brillants et talentueux, non, car parmi eux aussi, heureusement, certains possèdent de grandes qualités morales. Je veux seulement attirer votre attention sur la présence d'êtres simples, bons et purs, que vous n'aviez pas jusque-là l'habitude de remarquer.

C'est bien d'aimer se promener près des cascades et des rivières, de boire l'eau des sources, de se baigner dans les lacs et les mers, mais ce n'est pas vraiment un travail, et il n'en résultera pas le moindre changement en vous tant que vous ne saurez pas comment entrer en contact réellement avec l'eau, lui parler et vous lier à elle.

Pour entrer en contact avec l'eau, la première condition est de l'approcher avec respect, en sachant qu'en elle vivent des entités belles et pures qui ne seront bien disposées envers vous que si vous avez pour elles considération et amour. Par exemple, si vous voulez vous baigner, surtout dans un lac, soyez attentifs, ne le faites pas dans n'importe quelle disposition d'esprit. Demandez l'autorisation des entités de l'eau; car en vous baignant, c'est comme si vous vous débarrassiez de vos impuretés dans leur demeure, et vous devez être conscients que vous pouvez les indisposer. Soyez donc très vigilants.

Les dirigeants d'un pays sont continuellement exposés aux critiques et à l'hostilité des citoyens. Et partout pour amuser le public, dans les cabarets, les music-halls, à la radio, à la télévision, on présente les dirigeants de façon ridicule et grotesque. Eh bien, ce n'est pas de cette façon qu'on va les pousser à s'améliorer. Au contraire, en les harcelant de pensées négatives, on crée les conditions pour qu'ils commettent des erreurs et prennent de mauvaises décisions pour le pays. Oui, vous voyez, ça va très loin, cette affaire-là. Alors, si vous voulez vraiment aider votre pays, au lieu de pester continuellement contre celui qui est à la tête, envoyez-lui de la lumière afin qu'il soit toujours bien inspiré. Vous ne pouvez pas aider tout votre pays, car il est immense, mais il suffit d'aider un homme, un seulement, c'est plus facile, et c'est lui qui fera du bien à tous, parce que beaucoup de choses dépendent de lui. S'il réussit à faire voter des lois justes en faveur de la santé publique, du logement, de l'instruction, du travail, tous bénéficieront du fait qu'un seul était bien inspiré.

Si vous n'avez pas d'autre désir que de mener une vie ordinaire, prosaïque, insignifiante, vous pouvez vous laisser aller, il est inutile d'être vigilant et de faire des efforts pour vous dominer, maîtriser vos instincts. Cette maîtrise sera même préjudiciable à votre santé physique et psychique : vous deviendrez insupportable pour votre famille et tout votre entourage ; vous vous sentirez frustré, alors vous allez vous aigrir, devenir dur, intolérant. Pour que votre vigilance, votre maîtrise aient leur raison d'être, il faut que vous ayez un très haut idéal, que vous désiriez faire de votre vie quelque chose de grand, de beau, de noble, que vous ayez besoin de lui ajouter un autre élément, un élément de spiritualité, de lumière. Sinon vos efforts ne rimeront à rien.

Les parents s'occupent de leurs enfants, c'est bien, il faut qu'ils s'occupent d'eux. Mais est-ce qu'ils ont su d'abord travailler sur eux-mêmes ? Non, souvent ils ont vécu n'importe comment, ils ont laissé le désordre s'installer en eux, et maintenant ils donnent à leurs enfants l'exemple d'un comportement déplorable qui influencera très négativement leur psychisme, et même leur santé. Il faut s'occuper de soi-même avant d'éduquer les autres ou de vouloir les influencer, sinon c'est exactement comme si vous vouliez enlever une petite tache sur le visage de quelqu'un avec des mains noires de charbon : vous ne feriez que le salir davantage.

Rien de ce que l'homme crée intérieurement ne reste sans effet, et d'abord pour lui-même. Si par vos pensées, vos sentiments, vos désirs, vous essayez de créer le paradis en vous, c'est vous d'abord qui allez y vivre. Quelle que soit la situation autour de vous, vous serez au paradis. Et puis, peu à peu, vos parents, vos amis, tous les gens qui s'approcheront de vous commenceront à sentir qu'il y a là des sources qui jaillissent, des oiseaux qui chantent, des fleurs qui embaument, et ils se diront les uns aux autres : « Vous connaissez ce jardin ? Quelle paix, quelle pureté, quelle bénédiction ! » et vous serez entouré de leur joie et leur reconnaissance.

Le plus grand danger pour les humains, c'est de chercher la plupart de leurs satisfactions dans le plan physique, car cette recherche les rend égoïstes, injustes, malhonnêtes et même criminels. Pour obtenir une augmentation de salaire, un poste élevé, une part de marché plus importante ou une invitation mondaine, ils se lancent dans des intrigues et acceptent toutes sortes de compromissions. En admettant même qu'ils arrivent à leurs fins, qu'est-ce que ces succès peuvent vraiment leur apporter de plus? Et combien d'entre eux, une fois qu'ils ont obtenu ce qu'ils désiraient, se sentent encore plus insatisfaits! Alors, ils ont fait du tort à d'autres, et eux-mêmes ne sont pas plus heureux. Tout cela n'est vraiment pas très avantageux.

Celui qui cherche le bonheur dans la matière est semblable au chercheur d'or qui remue des tonnes de sable pour trouver à peine une paillette d'or. Cela non plus n'est pas avantageux. Pour trouver de l'or en quantité, il faut laisser un peu de côté la matière et monter très haut dans le soleil, dans l'esprit.

Tâchez de trouver la bonne attitude à avoir envers le Seigneur, de penser à Lui avec respect, émerveillement et amour, car à ce moment-là vous vibrez à l'unisson avec Lui, et tout ce qu'Il possède commence à venir vers vous : vous sentez que vous vous illuminez de sa lumière, que vous aimez de son amour, que vous êtes libre de sa liberté, que vous vous réjouissez de sa joie. Quand vous aimez profondément un être, vous communiez dans les mêmes sensations : parce que vous vibrez à la même longueur d'onde. C'est une loi de la physique. Mais les humains ne pensent jamais à appliquer dans le domaine spirituel les lois qu'ils ont découvertes dans le monde physique.

Le Créateur, Lui, bien sûr, n'a pas besoin de votre amour ou de votre vénération, il ne Lui manque rien, Il nage dans la plénitude ; mais c'est vous qui avez besoin de L'aimer, parce que grâce à cet amour, vous vous élevez jusqu'aux mondes de la beauté, de la lumière, de la liberté qui sont les siens.

On ne peut pas obliger les gens à se transformer. S'ils n'en éprouvent pas eux-mêmes le besoin, s'ils n'ont pas compris l'importance d'une philosophie et d'une discipline spirituelles, on ne peut pas les forcer, il faut les laisser. Leur attitude prouve seulement qu'ils sont très jeunes encore et qu'ils ont besoin d'expériences, de leçons. Ils souffriront, bien sûr, et c'est cette souffrance qui les obligera un jour à changer de vie. Quant à ceux qui ne sont pas satisfaits de leur vie prosaïque, terne et limitée, c'est tout un champ d'activités extraordinaires qui s'ouvre devant eux. Ces activités sont représentées symboliquement par ce que la mythologie a appelé « les douze travaux d'Hercule ». Les douze travaux d'Hercule sont liés au zodiaque, ils représentent douze activités pour l'homme qui lui permettront d'ouvrir les douze portes et de devenir la Jérusalem nouvelle, la ville de lumière où il n'y aura plus ni ténèbres, ni maladie, ni mort.

Tout ce qui existe en dehors de nous existe également en nous. Tout ce qui existe sur la terre et sous la terre, tout ce qui existe dans les rivières, les lacs, les mers, les océans, tout ce qui existe dans le ciel, les étoiles, les nébuleuses, existe aussi en nous. C'est ce qui explique que, depuis l'origine, l'homme soit toujours poussé à étudier et à comprendre le monde qui l'entoure : c'est lui-même qu'il veut ainsi étudier et comprendre.

Malheureusement, tant qu'il ne connaît pas les causes profondes de cette tendance, l'homme se contentera de regarder à l'extérieur de lui, de noter, d'enregistrer, sans jamais comprendre l'essentiel. Toutes les investigations entreprises par les scientifiques pour saisir toujours mieux les richesses prodigieuses de la nature, c'est magnifique. Mais les Initiés sont allés beaucoup plus loin, en poussant ces investigations en eux-mêmes, étendant à l'infini les limites de leur conscience.

Le disciple doit avoir pour idéal de se rapprocher de plus en plus du Verbe de Dieu. La première règle pour y parvenir, c'est de décider de ne plus médire, de ne plus calomnier, mais de maîtriser sa langue en se disant : « Si je me laisse aller, je ne posséderai jamais la véritable puissance du Verbe. Alors, il faut que je fasse attention. » Pendant une journée, qu'est-ce qu'on ne dit pas ! On lance des paroles, comme ça, à la légère, en pensant que si on s'est trompé ou si on est allé trop loin, il suffira de quelques mots pour réparer. Non, on ne connaît pas l'itinéraire d'une parole, les régions qu'elle traverse, les dégâts qu'elle y fait. Et même si on essaie de réparer ces dégâts, c'est très difficile, car entre-temps, d'autres couches se sont déposées, et il est dificile de les traverser pour toucher l'endroit où le mal a été fait. Qu'on ne s'imagine pas qu'il suffit de réparer le tort causé par des paroles en s'excusant ou en payant des « dommages et intérêts ». Devant les humains, peut-être, c'est réparé ; mais devant les lois astrales, devant les lois cosmiques, ce n'est pas réparé.

Les Initiés cherchent la solution au problème de l'amour en déchiffrant le grand Livre de la Nature, car Dieu depuis le commencement y a déjà inscrit toutes les solutions. Les abeilles et les papillons, par exemple, nous enseignent comment aimer. La plupart des humains comprennent l'amour à la manière des chenilles qui mangent les feuilles des plantes. Mais la chenille devient un jour un papillon qui ne mange plus les feuilles, mais visite les fleurs sans les abîmer pour se nourrir de leur nectar. L'abeille aussi se nourrit du nectar des fleurs, puis elle se met au travail pour faire le miel qui est la meilleure des nourritures. Comme le papillon, l'Initié aime toutes les fleurs, c'est-à-dire toutes les créatures humaines, et son amour ne les abîme pas, car il ne prend d'elles qu'un tout petit atome et, comme l'abeille, dans ses laboratoires il fabrique le miel qui servira de nourriture au monde entier. Vous voyez, toutes les solutions sont dans la nature : c'est là qu'il faut aller les chercher.

La meilleure façon de se reposer, ce n'est pas de ne rien faire, c'est de changer d'activité. Dans un enseignement spirituel, justement, le travail est très différent de tout ce que vous avez l'habitude de faire. Il ne s'agit pas de travailler pour gagner sa vie, mais pour développer cette part divine de vous-même qui est brimée, étouffée dans la vie ordinaire par toutes sortes d'occupations et de soucis.

Si vous fréquentez une communauté spirituelle en gardant le même état d'esprit que dans le monde, c'est inutile, vous allez souffrir, vous vous sentirez harcelés, nerveux, et vous ne trouverez rien de ce dont vous avez besoin. Une pareille communauté n'est profitable que pour ceux qui veulent introduire l'ordre et l'harmonie en eux-mêmes, permettre à leur nature divine de s'épanouir et d'entreprendre un travail gigantesque pour le bien du monde entier. Donc, je vous le dis pour vous, pour votre bien : décidez-vous à utiliser le mieux possible les moments que vous passez à la Fraternité pour vous épanouir dans l'harmonie, l'amour et la lumière.

Les gens sont vraiment bizarres : quand quelqu'un de désagréable les fait souffrir, ils se plaignent : « Comme il a mauvais caractère ! » « Quel caractère épouvantable ! » ou bien : « C'est un faible, il n'a pas de caractère ! » Là, tout à coup, ils oublient que ce quelqu'un est docteur de quatre ou cinq universités, qu'il a écrit une trentaine de livres, etc., ils s'arrêtent sur son caractère. Il faut qu'ils soient eux-mêmes piqués, mordus, malmenés ou déçus pour comprendre combien cette question du caractère est importante. Jusque-là, ils mettaient au-dessus de tout les facultés intellectuelles. Eh bien, il est temps pour chacun d'entre vous de redonner la première place au caractère, c'est-à-dire de travailler chaque jour sans relâche afin d'éveiller les forces et les qualités que le Créateur a déposées dans votre cœur, votre âme et votre esprit.

Il ne vous plaît pas tellement d'entendre parler de maîtrise, quand tout le monde autour de vous revendique la liberté sexuelle, et justifie ces revendications par des arguments apparemment très valables. Que vous n'ayez pas envie d'être privé de plaisirs, c'est entendu, mais essayez au moins de voir quels avantages on trouve à renoncer à certains d'entre eux. Il ne s'agit pas de se priver pour ne plus rien avoir et se retrouver dans le vide ; il s'agit de comprendre qu'il est préférable de remplacer certains plaisirs matériels, grossiers, par d'autres plus subtils, plus spirituels. Lorsqu'un médecin constate qu'un homme est en train de compromettre sa santé par des excès de charcuterie, de sucreries, d'alcool, il ne lui conseille pas de ne plus rien manger. Il sait bien que l'autre de toute façon ne suivrait pas ce conseil, ou même pire, s'il le suivait, il mourrait ! Il lui prescrit donc de remplacer ces nourritures par d'autres plus saines, plus légères. Eh bien, voilà ce que je vous conseille moi aussi, mais dans un autre domaine. Je ne vous pousse pas à mourir de faim, mais à vous nourrir différemment.

Celui qui a besoin de secousses, de catastrophes et d'incendies pour se sentir vivre, montre qu'il n'est encore qu'un être primitif et barbare. D'ailleurs, on l'a vu tout au long de l'histoire : tous ceux qui ont incendié des villes et des campagnes, tous ceux qui ont allumé des bûchers et des fours crématoires étaient des barbares. Le besoin de brûler des objets ou des êtres est un reste de sauvagerie primitive. Et il en est de même dans le domaine des sentiments : celui qui ne cesse d'allumer le feu de la passion chez lui et chez les autres fait acte de barbarie. C'est le propre des êtres qui n'ont pas encore appris la manière correcte de se chauffer et de chauffer les autres, c'est-à-dire qui n'ont pas appris la manière correcte d'aimer !

Une relation amoureuse n'a de sens que si vous pouvez construire avec votre partenaire quelque chose de solide et de durable. Cherchez à voir s'il existe entre vous une harmonie dans les trois plans : physique, affectif, mental, ou bien si vous cédez seulement à un caprice passager, à l'attrait du plaisir. Si vous n'avez pas d'affinités dans le domaine des émotions, des goûts et des idées, ne vous dites pas que cela n'a aucune importance et que les choses à la longue s'arrangeront. Pas du tout, au contraire ; au bout de quelque temps, une fois qu'on a épuisé la nouveauté de certains plaisirs, on s'aperçoit justement que les affinités psychiques, intellectuelles, sont extrêmement importantes, et si ces affinités n'existent pas, voilà la discorde qui s'installe.

Combien encore parmi vous se sentent faibles, abandonnés, et se plaignent. Pourtant, depuis des années, vous ne pouvez pas dire que vous n'avez pas reçu des explications, des conseils, des méthodes. Au contraire, vous n'avez trouvé que cela dans mes conférences, dans mes livres, mais vous manquez de confiance en ce que vous possédez et au lieu de faire des exercices, de travailler pour faire jaillir l'étincelle, vous restez dans le froid et l'obscurité. Vous avez le silex, mais vous ne frappez pas. Alors, décidez-vous enfin, frappez la pierre une fois, deux fois, trois fois, cent fois, et le feu finira par jaillir. Même si vous possédez toutes les connaissances, elles ne vous serviront à rien tant que vous ne vous exercerez pas à les mettre en pratique. Il est indispensable qu'avec la volonté (le fer) vous travailliez sur les connaissances (le silex). Quand vous aurez appris à allumer le feu en vous, vous n'aurez plus à affronter les ténèbres et le froid, vous ne vous sentirez plus seul ni privé d'amour. Grâce à l'ardeur dont vous serez embrasé, vous aurez la sensation de pouvoir allumer le monde entier jusqu'aux étoiles.

Il existe une loi d'après laquelle plus vous avez peur de quelque chose, plus vous l'attirez. Donc, si vous ne voulez pas qu'un malheur s'abatte sur vous, ne le craignez pas ! Une fois que vous êtes fort, tous vous laissent tranquille. Mais combien connaissent cette vérité ? La plupart sont à la merci de leurs craintes sans savoir qu'elles sont le résultat d'un manque de connaissance, d'un manque de lumière. La preuve : quand vous êtes dans un endroit obscur, vous ne vous sentez pas tranquille jusqu'au moment où vous pouvez allumer la lumière. Alors, quelles conclusions fantastiques vous pouvez tirer de ce phénomène pour le domaine spirituel ! L'obscurité, c'est-à-dire l'ignorance, vous fait courir tous les dangers, et c'est pourquoi vous avez peur. Mais projetez la lumière, c'est-à-dire armez-vous des vérités nécessaires pour affronter la situation, et votre peur disparaîtra.

Le silence est le langage de la perfection, alors que le bruit est l'expression d'une défectuosité, d'une anomalie, ou alors d'une vie qui est encore désordonnée, anarchique, et qui a besoin d'être maîtrisée, élaborée. Les enfants par exemple sont bruyants parce qu'ils débordent d'énergie et de vitalité. Au contraire, les gens âgés sont silencieux. Vous direz : « Bien sûr, c'est clair, les gens âgés aiment le silence parce qu'ils ont moins de forces, alors le bruit les fatigue. » C'est un peu vrai, mais il se peut aussi qu'il y ait eu une évolution en eux, et c'est leur esprit maintenant qui les pousse à entrer dans le silence. Pour réviser leur vie, réfléchir, tirer des leçons, ils ont besoin de ce silence où se fait tout un travail de détachement, de simplification, de synthèse. La recherche du silence est un processus intérieur qui conduit les êtres vers la lumière et la véritable compréhension des choses.

Quelqu'un commence à penser : « Moi, pas question que je m'incline devant les autres, personne ne me marchera sur les pieds, et celui qui s'opposera à moi, il verra ce qu'il verra ! » Eh bien, cette décision ne peut pas rester sans conséquence sur son caractère, ses activités, les relations qu'il aura avec les autres. Il va devenir de plus en plus méfiant, arrogant, dur, vindicatif, et toutes ses activités seront orientées dans la même direction : le pouvoir, la domination, la violence... Voilà comment, de fil en aiguille, il risque d'être entraîné à commettre des actes criminels, et vous savez où l'on finit dans ces cas-là ! Quant à celui qui a pour but l'argent, ou les plaisirs, ou la gloire, lui aussi se met sur des rails déterminés et il ne pourra pas échapper aux conséquences de son choix. Alors, attention quand vous prenez des décisions ou que vous faites des projets d'avenir : tâchez de réfléchir où tout cela pourra vous mener.

Vous avez tous tendance à désirer la facilité, le succès, l'abondance, au détriment du reste, et c'est naturel. Jusqu'au jour où vous êtes obligés de reconnaître qu'en réalité c'est la lucidité, la force de caractère, la patience, la pureté, la bonté, qui sont les acquisitions les plus précieuses : grâce à ces qualités, vous pouvez affronter les difficultés que vous rencontrez obligatoirement dans la vie, alors que sans elles vous risquez même de voir les plus grands succès se transformer en catastrophes. Oui, ne croyez pas que les bonnes conditions, les facilités, les succès soient obligatoirement les meilleures choses ; ce sont souvent des pièges pour tous ceux qui n'ont pas cultivé certaines qualités morales. Observez bien tout ce qui se passe autour de vous, et vous cesserez de souhaiter certains succès faciles et d'envier ceux qui les ont remportés.

Si l'on décide de diminuer les manifestations physiques de l'amour, c'est pour mieux le goûter dans ses manifestations spirituelles, sinon cela n'a pas de sens. D'ailleurs, celui qui veut renoncer à l'amour physique sans chercher l'amour dans le plan spirituel, s'expose à de grands dangers, car cela devient du refoulement.

Donc, la continence, la chasteté ne doit pas être considérée comme une privation. Il ne faut pas se priver, mais seulement se déplacer, c'est-à-dire faire en haut ce qu'on faisait en bas : au lieu de boire de l'eau dans un marécage où pullulent les microbes, boire l'eau d'une source cristalline. Ne pas boire du tout, c'est la mort. Quand on dit qu'il ne faut pas boire, non ! c'est seulement l'eau des égouts qu'il ne faut pas boire. Il faut boire, mais l'eau céleste.

Lorsque les humains s'obstinent à ne pas comprendre, il ne reste que la souffrance pour les instruire. Il n'est pas souhaitable d'en arriver là, mais que faire ? Quand l'Intelligence cosmique, qui est sage et pleine d'amour, a tout essayé, quand elle a essayé la sagesse, les explications en envoyant des Initiés ; quand elle a essayé l'amour, la patience en envoyant des saints, des prophètes, des martyrs, et que là encore il n'y a pas de changement, il ne lui reste que les épreuves pour éduquer les humains. Elle ne commence jamais par la souffrance. Ce n'est qu'après avoir tout essayé, qu'elle a recours à elle pour faire réfléchir les humains.

Certains posent la question : «Pourquoi faut-il prier Dieu ? » En réalité Dieu n'a pas besoin de nos prières, mais Il a placé en nous des appareils et Il nous dit : «Déclenchez-les vous-mêmes, ils sont bien construits, ça marchera ! » Vous avez vu dans les gares ces appareils automatiques qui distribuent des boissons, des bonbons, etc. C'est vous qui les faites marcher, le chef de gare ne vient pas s'en mêler. De même, Dieu ne se mêle pas du fonctionnement de nos appareils intérieurs. Il nous les a donnés, c'est à nous d'y glisser des pièces pour qu'ils se mettent en marche. La prière faite correctement donne des résultats parce que c'est elle, la pièce de monnaie que vous glissez dans l'appareil. Chaque fois que vous priez, vous émettez une force qui se projette à la fois à l'extérieur et à l'intérieur de vous-mêmes où elle actionne certains rouages, et c'est pourquoi vous vous sentez envahis par la paix, la joie, la beauté... Tout se réalise à la fois au-dedans et au-dehors.

Ici, sur la terre, notre esprit ne peut se manifester en plénitude, car il subit les limites des conditions matérielles. Dans la sphère qui est la sienne, en haut, il a des pouvoirs illimités, il est tout-puissant ; c'est dans la matière qu'il a à subir des limites. Mais grâce à la continuité de nos efforts quotidiens, il se fraie peu à peu le chemin, et à la fin, c'est lui qui parvient à tout transformer et à triompher des obstacles. On dit que l'esprit possède des pouvoirs « surnaturels » ; non, en réalité il n'y a rien de surnaturel : les miracles, les prodiges, tous ces événements qui en apparence contredisent les lois de la nature, ne sont ni surnaturels, ni supranaturels, ni anti-naturels ; ils obéissent seulement à d'autres lois, tout aussi naturelles, qui sont celles de l'esprit.

Une femme sait d'instinct qu'elle a intérêt à être belle, et alors elle prend soin de sa silhouette, de ses cheveux, de sa peau, elle se maquille, et évidemment cela donne tout de suite des résultats, les hommes la remarquent et elle est satisfaite, elle se dit qu'elle est jolie et qu'elle plaît. Oui, mais en s'y prenant de cette façon, qui va-t-elle attirer? Pas un Initié en tout cas, mais des idiots, des sensuels ou des voyous qui ne demandent rien d'autre à une femme que d'être appétissante pour pouvoir la manger, et comme il faut! Tandis que si une femme travaille à acquérir une beauté intérieure en développant ses qualités et ses vertus, elle attirera une autre catégorie d'hommes, intelligents, honnêtes, généreux, qui viendront l'aider, la protéger et tout lui donner pour son épanouissement.

Celui qui a un champ de vision trop limité ne peut pas être heureux. Et c'est pourquoi l'égoïste ne peut pas être heureux : parce que chez lui tout est rétréci. Pour être heureux, il faut s'élargir jusqu'à embrasser le monde entier, et seul l'amour permet cet élargissement. Celui qui a beaucoup d'amour s'étend, se dilate, il embrasse l'univers, il vibre avec l'univers ; tout s'ouvre à lui, il ne rencontre plus de barrières et le bonheur ne le quitte plus. La condition du bonheur, c'est l'amour, oui, seulement l'amour, pas la science ni même la philosophie. La science, la connaissance ne peuvent pas nous apporter le bonheur ; elles préparent le chemin, elles orientent, elles éclairent, mais elles sont incapables de nous rendre heureux. C'est ce qu'avait compris Salomon qui disait : « Beaucoup de sagesse, beaucoup de chagrin. Plus de savoir, plus de peine. » Ceux qui savent beaucoup ne sont pas heureux, alors que ceux qui ont beaucoup d'amour dans leur cœur, même s'ils ne savent pas grand-chose, sont bien plus heureux.

La vie est ce qu'est l'homme lui-même. Si vous dites : elle est belle, c'est parce que vous êtes beau. Et si vous pensez qu'elle est absurde et moche, est-ce que vous n'êtes pas en train de vous apercevoir un peu dans ce miroir?...

La vie est à notre image, nous n'y voyons que ce que nous portons en nous. C'est pourquoi il se trouve toujours une vie différente d'une autre vie. On dit : «la vie», et on croit savoir de quoi on parle, en s'imaginant que le monde entier possède le même degré et la même qualité de vie. Non, en disant : «la vie», chacun parle seulement à son niveau et ne se prononce que d'après sa propre vie. Mais la vraie vie dans toute son ampleur, sa grandeur, son immensité, on ne la connaît pas, on peut seulement s'en approcher ; et on ne s'en approche que si l'on est capable de rétablir le lien avec le monde de l'âme et de l'esprit.

Quand vous rencontrez des difficultés dans
votre vie, ne vous révoltez pas et n'essayez pas
non plus de les éviter; comprenez que c'est l'Intelligence cosmique qui vous place dans ces conditions pour vous pousser à aller plus loin et plus
haut. Ne demandez pas que votre vie soit lisse.
Aucun alpiniste ne pourrait faire l'ascension
d'une montagne s'il avait devant lui des parois
parfaitement lisses. Pour se hisser, il lui faut des
aspérités où placer les mains et les pieds, et des
aspérités où attacher la corde. C'est ainsi que,
peu à peu, il parvient jusqu'au sommet. Eh bien,
pour les mêmes raisons il est nécessaire de rencontrer dans la vie des difficultés, des chagrins,
des obstacles.

Vous vous êtes promené dans la campagne et vous avez pu voir quelquefois une petite fille assise qui surveille des vaches. Auprès d'elle est couché un chien qui l'aime beaucoup et qui lui obéit. Soudain il arrive qu'une vache s'éloigne pour entrer dans le champ du voisin ; la petite fille dit au chien : « Vas-y, mords-la » et le chien, fidèle, se précipite en aboyant vers la vache qui est obligée de revenir dans le champ de son maître. Et le chien aussi revient se coucher près de la petite fille, tout content, et prêt à obéir de nouveau à ses ordres...

Voilà l'explication du rôle du diable. Tant que l'homme est attentif et ne transgresse pas les lois, tant qu'il ne va pas s'aventurer dans les régions interdites, il n'est ni tourmenté ni poursuivi, mais dès qu'il va se promener au-dehors, le Créateur dit au diable : « Mords-le, mords-le » et le diable vient lui mordre les mollets, c'est-à-dire lui apporter des troubles de toutes sortes. Le diable est en apparence un chien hostile à l'homme, mais dès que l'homme commence à s'assagir, il le laisse tranquille.

Apprenez à travailler avec l'amour divin, à le faire jaillir en vous, à le faire briller sur toutes les créatures, sur tous les objets et même sur les arbres, les montagnes, les océans. Vous deviendrez ainsi une présence bénéfique pour le monde entier. Et même quand vous êtes seul, pensez à prononcer des paroles de paix, d'espoir, de joie pour tous les hommes sur la terre, en sachant qu'elles produiront des résultats. Par la pensée, par la parole, tâchez d'ajouter toujours un élément susceptible d'apporter des améliorations autour de vous. Cherchez d'abord à créer en vous l'harmonie, la lumière (car vous ne pouvez donner aux autres ce que vous ne possédez pas déjà vous-même) et quand vous sentez que vous avez réussi à rendre cette harmonie et cette lumière réelles en vous, projetez-les dans l'espace. C'est cela, travailler avec l'amour divin.

Il peut arriver qu'en marchant dans la rue, vous passiez par des endroits où l'on est en train de commettre des actes malhonnêtes, criminels. Si vous êtes à ce moment-là dans un état intérieur négatif, vous vous trouvez en accord avec les vibrations que ces actes produisent et vous captez leur influence. Vous pouvez alors être poussé vous-même à mal agir, sans savoir que c'est à cause de ces émanations fluidiques que vous avez reçues en passant. C'est pourquoi il est tellement important pour vous de surveiller la qualité de vos états intérieurs; c'est la seule méthode efficace qui vous permettra de vous protéger des courants négatifs. Ne comptez pas sur des amulettes, des talismans et toutes sortes de bricoles que les charlatans vous proposent maintenant à presque tous les coins de rue. C'est vous-même qui devez travailler sur vos pensées et vos sentiments afin de n'attirer autour de vous que des effluves de pureté et de lumière.

L'homme a un visage intérieur différent de son visage physique. Ce visage intérieur est celui de son âme, il n'a pas de traits définis et immuables grâce auxquels on peut le reconnaître, mais il se modifie continuellement, car il dépend étroitement de la vie psychique de l'homme, de ses sentiments, de ses pensées, et selon les moments il apparaît lumineux ou ténébreux, harmonieux ou grimaçant, expressif ou figé. Par la prière, la méditation, la contemplation et des états de conscience supérieurs, c'est ce visage intérieur que nous devons modeler, sculpter, peindre, éclairer, afin qu'il imprègne un jour notre visage physique.

Les montagnes sont habitées par des entités très lumineuses, très puissantes, qui sont attirées par les conditions exceptionnelles de pureté qui règnent sur les sommets. C'est pour entrer en contact avec ces entités qu'il faut aller sur les hauteurs. Mais cela nécessite toute une science, et cette science ne se révèle qu'à ceux qui se sont engagés de tout leur cœur, de toute leur âme sur le chemin de la lumière. Très peu de gens savent profiter des conditions favorables que leur offre la montagne pour leur évolution spirituelle. Ils vont là-haut pour s'amuser, faire du bruit, sans aucun respect pour les entités qui habitent ces régions. Et la montagne, qui est sensible, intelligente, se ferme à eux. Il risque même d'arriver le moment où ces entités délaisseront les montagnes, tant elles sont incommodées par ces animaux qui salissent tout : les humains. Alors, vous, au moins, tâchez par votre attitude de leur montrer que vous appréciez leur présence et leur travail.

Les jeunes générations pensent qu'elles ont remporté une grande victoire en obtenant la liberté sexuelle. Oui, c'est vrai, c'est une grande victoire contre l'hypocrisie et l'étroitesse d'esprit qui ont régné pendant des siècles. Mais le problème de la sexualité est-il résolu pour autant? Après le refoulement, le défoulement... et voilà la porte ouverte à tous les dérèglements physiques et psychiques. Car il ne suffit pas, pour résoudre les problèmes, de conseiller l'usage de préservatifs, de contraceptifs ou de permettre l'avortement; et les interdire ne sert à rien non plus. La question n'est donc pas d'autoriser ou d'interdire, mais d'étudier, de comprendre. La force sexuelle est une puissance millénaire contre laquelle il est impossible de lutter. Ce qui n'est pas une raison pour se laisser asservir par elle. Il faut savoir qu'il existe des méthodes pour la canaliser, l'orienter, afin qu'elle contribue au développement psychique, moral et spirituel de l'homme. Après avoir cherché et reçu ces explications, ce sera à chacun de réfléchir et de décider de ce qu'il veut faire.

Chanter à quatre voix correspond dans le plan physique à l'exercice que nous devons faire chaque jour, et plusieurs fois par jour, pour harmoniser notre cœur, notre intellect, notre âme, notre esprit. Chanter à quatre voix, c'est aussi, bien sûr, le symbole de ce que nous devons faire comme effort pour nous accorder, nous harmoniser entre nous. Car cette fusion des voix au-dessus de nos têtes est en même temps une fusion de nos corps subtils. Les quatre voix, basse, ténor, alto, soprano, ont aussi une correspondance avec les quatre cordes du violon. Le violon est un symbole de l'homme : la corde sol représente le cœur, le ré l'intellect, le la l'âme et le mi l'esprit. Le corps du violon lui-même représente le corps physique, et l'archet, la volonté qui agit sur les quatre principes du cœur, de l'intellect, de l'âme et de l'esprit.

La matière est d'une telle diversité, d'une telle richesse, qu'il y aura toujours à voir, à entendre, à toucher, à goûter, à accumuler... C'est pourquoi les humains, qui se sont lancés depuis des millénaires dans l'exploration de la matière, en arrivent à s'oublier et à se perdre en elle ; et l'époque actuelle n'est qu'une descente de plus en plus vertigineuse de la conscience dans l'épaisseur de la matière. Mais même si la matière est inépuisable, elle ne peut donner que ce qui permet de satisfaire les besoins physiques ; alors le moment viendra où tous commenceront à se sentir rassasiés, saturés, et ils éprouveront le désir de remonter vers les régions spirituelles. Ils sentiront qu'en allant vers les hauteurs, ils retrouveront toutes les richesses qu'ils ont dû abandonner en descendant dans la matière. Et non seulement ils retrouveront ces richesses, mais encore, grâce à une meilleure compréhension, ils pourront bénéficier pleinement de tout ce qu'ils auront acquis dans le plan physique, où il y a tellement à étudier, à travailler et à se réjouir.

Puisque je ne vous parle que de réalités qui existent en vous, même si vous n'en êtes pas encore conscients, même si vous ne les comprenez pas, je sais que je touche par mes paroles quelque chose qui ne demande qu'à venir à la lumière. Comme le lotus qui commence par pousser sous l'eau avant de s'épanouir à la surface...

Les choses naissent, se forment et commencent à croître dans l'obscurité du subconscient, et au moment où elles apparaissent à la conscience, elles n'en sont pas à leur début, mais presque à leur achèvement, car depuis longtemps déjà elles étaient en mouvement. De la même façon, mes paroles réveillent au plus profond de vous quelque chose qui, un jour, comme la fleur du lotus, sortira pour s'épanouir au-dessus de l'eau.

Vous connaissez la parabole de l'enfant prodigue qui avait quitté la maison paternelle pour
chercher des aventures dans le monde et qui,
n'ayant rencontré qu'épreuves et déceptions, finit
par retourner chez son père. Tous les Livres
sacrés contiennent des images, des récits qui illus-
trent ces deux processus: la sortie et le retour,
l'involution et l'évolution... Et lorsque les alchimistes parlent des deux opérations «solve» et
«coagula», c'est encore une façon de présenter
ces deux processus. La nature elle-même nous en
parle. Vous regardez le ciel qui est bleu, limpide.
Un moment après apparaît une sorte de voile,
c'est de la vapeur d'eau qui se condense, des
nuages se forment. Quelque temps après, tout
disparaît, le ciel redevient bleu. Partout dans
l'univers vous verrez ces deux phénomènes, qui
sont là pour inviter le disciple à s'arrêter et à comprendre: l'apparition et la disparition, la naissance et la mort, la création et le retour au néant.

«Savoir, vouloir, oser, se taire», ces quatre
mots résument la science des Initiés. «Et pourquoi se taire?» direz-vous. Si vous savez ce qu'il
faut faire, si vous voulez le faire et que vous osez
commencer le travail, il n'y a plus rien à ajouter. C'est votre être tout entier qui exprime les
résultats de votre travail. Quand vous êtes dans
la paix, dans la joie, est-il nécessaire de le dire
aux autres? Non, ils le voient, ils le sentent. Et
si vous êtes traversé par une tempête intérieure,
vous avez beau dire que vous nagez dans la séré-
nité et l'harmonie, personne ne vous croira et
même on vous rira au nez. Parce que tout trans-
paraît là aussi: le désordre, la cacophonie! Les
humains parlent, parlent, ils se servent des mots
pour convaincre, alors que la réalité devrait suffire. Seulement voilà, leurs mots disent une chose
et la réalité en dit souvent une autre. C'est pourquoi «se taire» est un précepte sur lequel vous
devez méditer.

Quand vous êtes tourmenté, ce tourment est comme une matière empoisonnée que vous avez reçue, et vous ne devez pas rester comme ça sans rien faire. Au lieu d'attendre qu'il s'en aille tout seul, il faut travailler sur ce tourment, sur ce chagrin, pour s'en débarrasser ou le transformer. Le véritable mage est celui qui s'est habitué à considérer tous les événements qui se présentent à lui comme une matière sauvage, crue, qu'il doit élaborer. C'est ainsi qu'il devient fort et puissant, tandis que celui qui reste passif, qui ne réagit pas, se laisse écraser toute la vie.

Nos instincts, nos impulsions égoïstes représentent aussi une matière que nous ne devons pas laisser à l'état brut : il faut penser à lui ajouter un élément qui lui donnera une direction spirituelle. Comme la matière n'est rien d'autre qu'une condensation de l'énergie, c'est à l'homme de s'occuper de la transformation de cette énergie, et il entre alors dans le domaine de l'alchimie et de la magie.

Il ne faut jamais accepter l'inertie. Même handicapé, malade, chacun doit essayer de faire au moins un geste, un pas. Et s'il lui est vraiment impossible de faire le moindre mouvement physique, il a encore la possibilité de se servir de sa pensée pour imaginer qu'il se déplace et agit exactement comme avant. Ce travail de la pensée déblaie le chemin, creuse un sillon, créant ainsi les conditions favorables pour le retour de l'activité.

La conscience de l'Initié vit dans les autres, c'est pourquoi il peut à distance les nourrir de sa lumière. Les aliments physiques ne peuvent nourrir que celui qui les mange ; et même si pendant un certain temps la mère nourrit l'enfant qu'elle porte dans son sein, quand l'enfant naît, il se sépare d'elle et c'est lui désormais qui doit manger. Dans le plan spirituel, le Maître, au moins au début, doit nourrir le disciple. Il « mange » la lumière, et en mangeant il alimente le disciple. Comme une mère qui porte l'enfant dans son sein, le Maître accepte d'accueillir dans son âme, dans sa conscience, des enfants qui se nourrissent de lui jusqu'au moment où ils seront capables de se nourrir par eux-mêmes. A ce moment-là, ils pourront aussi nourrir les autres. Les disciples sont liés à leur Maître comme le fœtus à sa mère. Quand le Maître reçoit des forces du Ciel, le disciple en bénéficie.

Les Initiés nous enseignent qu'au lieu de passer notre vie à rechercher à l'extérieur des pouvoirs que nous ne posséderons jamais vraiment, il est préférable de travailler pour avoir ces pouvoirs en nous-mêmes. Voilà sur quoi il faut s'exercer, sur quoi il faut travailler, car la vraie force est au-dedans, dans l'être qui vit, qui pense, qui agit : c'est lui qui décide, qui dispose des objets, qui construit. C'est pourquoi les Initiés ont donné des règles, des méthodes pour permettre la manifestation complète, parfaite, absolue de cet être qui contient tout, qui dispose de tout : l'esprit. Vous connaissez la formule du Maître Peter Deunov : « *Niama sila kato silata na douha, samo silata na douha é sila bojia* » : « Il n'y a pas de force comme la force de l'esprit, seule la force de l'esprit est force de Dieu ». C'est dans l'esprit que l'homme doit chercher la force. La vraie force est dans l'esprit, dans la volonté, dans l'intelligence de l'esprit.

On ne peut résoudre le problème du mal par le raisonnement, car il est bien au-dessus de l'entendement humain. En réalité, le mal n'existe pas ; il n'existe que pour les faibles, pour ceux qui ne sont pas préparés, qui ne savent pas s'en servir. Mais pour les fils de Dieu, pour les Initiés, les grands Maîtres, le mal, cette matière infernale dont les religieux ont tellement parlé sans la comprendre, est une matière précieuse, riche, qu'on peut exploiter et dont on peut se servir pour des réalisations fantastiques. Comme les Initiés sont très forts, très purs, ils osent s'attaquer au mal en se plongeant dans les profondeurs de leur nature, et grâce à cette audace ils rapportent des perles précieuses, comme les pêcheurs qui plongent dans l'océan pour ramener des huîtres perlières sans être mangés par les requins ou retenus par les algues.

Mais ces expériences ne sont pas conseillées à tous. Il n'y en a que très peu sur la terre qui peuvent se permettre de descendre jusque dans les profondeurs de leur nature et de tout transformer, tout sublimer, tout rendre lumineux et beau.

Vous êtes sous la protection des entités du soleil, car j'ai consacré un jour la Fraternité au soleil. Pourquoi cette consécration? Pour ouvrir une porte, afin que les entités du soleil, qui sont des esprits très évolués, très lumineux, très puissants, puissent travailler sur vous. Cette consécration ne touchait pas uniquement ceux qui étaient là présents, mais tous ceux qui viendraient dans l'avenir pour connaître notre Enseignement, l'Enseignement du soleil. Maintenant que vous êtes consacrés, les esprits solaires peuvent entrer en vous et agir à travers vous. C'est cela, le sens d'une consécration: celui qui consacre un objet, un lieu, un être, ouvre en eux une porte pour les esprits auxquels il les consacre.

Voilà pourquoi maintenant les esprits solaires peuvent vous aider, vous guérir et vous faire des révélations.

Vous voulez être libres, indépendants, mais en même temps vous ne cessez de demander qu'on pense à vous, qu'on vous aide, qu'on agisse ou travaille à votre place. Eh bien, comprenez désormais que si vous voulez vraiment être libres, vous devez apprendre à ne pas trop compter sur l'aide des autres. Chacun a ses soucis, ses problèmes, alors un jour on pense à vous et le lendemain on vous oublie... Et en admettant même que le monde entier soit disposé à vous aider, vous sentirez encore qu'il vous manque quelque chose. Pourquoi? Parce que ce dont vous avez vraiment besoin, les autres ne peuvent pas vous l'apporter, c'est vous qui devez travailler pour l'acquérir. Ce dont vous avez vraiment besoin, c'est de devenir plus raisonnables, plus forts, plus patients, plus éclairés... donc plus libres! et il n'y a que vous qui, par vos efforts, puissiez y parvenir.

La peau est le reflet de l'être intérieur. D'après la peau de quelqu'un, vous pouvez tout savoir de lui : il y a quelque chose dans le grain, dans la couleur, qui parle tout de suite d'une vie spirituelle ou d'une vie ordinaire, grossière. Mais ce qu'il est intéressant aussi de constater, c'est que la peau n'est pas sur une même personne identique partout : à certains endroits elle est lisse, fine, et à d'autres endroits elle est tachée ou ridée. Il y a même des personnes dont on a l'impression que la peau, pourtant blanche, est colorée de violet, de bleu ou de jaune. C'est la preuve que derrière cette façade qu'est la peau, il existe d'autres peaux qu'on ne voit pas et qui projettent des particules pures ou impures. La peau est donc un langage qu'il faut apprendre à connaître et à interpréter.

Trouver le sens de la vie, c'est trouver un élément que seul le monde divin peut vous donner ; et il ne le donne qu'à ceux qui, durant de longues années, font des efforts pour parvenir jusqu'à lui. Car le sens de la vie est la récompense d'un travail intérieur, patient, incessant, que l'homme a entrepris de faire sur lui-même. Lorsqu'il est parvenu à un certain état de conscience, il reçoit du Ciel un électron, comme une goutte de lumière qui imprègne toute la matière de son être. A partir de ce moment-là, sa vie prend une dimension et une intensité nouvelles, les événements lui apparaissent sous une nouvelle clarté, comme s'il lui était donné la connaissance de la raison de toute chose. Et même la mort ne l'effraie plus, parce que cet électron lui découvre l'immensité d'un monde éternel où il n'y a plus ni dangers ni ténèbres, et il sent qu'il marche déjà dans le monde illimité de la lumière.

C'est sa nature inférieure qui pousse l'homme à négliger son travail et ses responsabilités pour ne faire que ce qui lui plaît. Mais celui qui cherche à échapper aux efforts et aux difficultés doit savoir qu'il rencontrera toujours des difficultés plus grandes. C'est pourquoi, au lieu d'éluder les problèmes, il vaut mieux qu'il essaie de les résoudre, sinon la situation dans laquelle il va tomber sera pire que celle qu'il aura voulu fuir. Avant d'avoir résolu le problème grâce auquel le monde invisible veut nous instruire, nous ne pouvons nous échapper nulle part. Là où nous irons, on nous imposera une autre leçon plus dure encore. Le monde invisible nous dira: «Tu n'as rien voulu apprendre là-bas, eh bien, voici autre chose à apprendre ici!» Il ne faut pas fuir les difficultés, mais chercher à bien comprendre leur sens et faire ce qui est nécessaire pour les résoudre. Lorsqu'on y est arrivé, tout ce que l'on peut entreprendre ensuite sera bénéfique.

Habituez-vous à avoir une attitude intérieure correcte vis-à-vis des situations et des événements de l'existence. Par exemple, au moment où vous subissez un échec, pourquoi réagir comme si vous aviez tout perdu, comme si le monde entier s'écroulait? Essayez au contraire de prendre conscience de tout ce que vous possédez encore: la santé, une famille, des amis... et remerciez le Ciel pour cette richesse. Imaginez ce que cela peut être que d'être paralysé ou privé de maison, de nourriture, de parents... Alors, au lieu de souffrir toujours de ce qui vous manque, apprenez à vous réjouir de ce que vous avez. Que vous soyez chagriné un moment pour une vexation, une déception, un insuccès, bon, c'est normal. Mais vous êtes inexcusable de rester là à ruminer vos chagrins en oubliant toutes les raisons que vous avez d'être heureux et reconnaissant. Secouez-vous, mon Dieu, sinon il arrivera un jour où vous ne pourrez plus vous débarrasser de cette tendance au découragement et vous serez écrasé.

La situation d'un Maître est très compliquée. Son travail est d'aider le disciple à libérer son esprit : car son esprit est comme un roi qui s'est laissé détrôner par des sujets révoltés, et maintenant le roi est enfermé dans un cachot et le royaume est livré à l'anarchie. Malheureusement, bien qu'il se sente dépossédé, brimé, le disciple ne comprend pas toujours l'aide que veut lui apporter son Maître : il a l'impression que par ses conseils, par son attitude, le Maître veut limiter sa liberté. Alors, que doit faire le Maître ?... Attendre patiemment que le disciple comprenne la nature de son travail. Ce que le Maître veut limiter en lui, ce sont les manifestations de sa nature inférieure, les instincts, les passions qui ont fini par réduire au silence sa nature supérieure, son esprit. Et si, au lieu de comprendre que le Maître ne veut que son bien, le disciple pense qu'il fait tout pour l'entraver, le tourmenter, le chagriner, c'est tout simplement parce qu'il ne sait pas encore où est son vrai bien. Comme les enfants, ce disciple aime les bonbons et celui qui les lui offre. Et voilà que le Maître lui propose de la quinine...

Pour résoudre ses problèmes, l'être humain possède en lui-même des facteurs extrêmement efficaces : la pensée, la volonté, l'imagination... Mais comme il est habitué à n'avoir recours qu'à des moyens extérieurs, évidemment ces facultés ne se développent pas. Combien de gens disent : « La pensée, la pensée... mais j'ai essayé et il n'y a pas de résultats ! » Pourquoi ?... Supposez que vous vouliez remédier par la pensée à une faiblesse physique ou psychique : pour la former, vous avez peut-être mis des siècles, plusieurs réincarnations ; alors comment pouvez-vous imaginer qu'en vous décidant maintenant à vous concentrer dessus pendant deux ou trois minutes, vous allez vous en débarrasser ? Peut-être faut-il de nouveau des siècles ! Il existe une justice dans l'univers et lorsqu'on n'a cessé d'accumuler des erreurs, beaucoup de temps et d'efforts sont nécessaires pour les réparer. En réalité la meilleure solution est de joindre les moyens extérieurs aux moyens intérieurs pour accélérer les choses ; mais il faut commencer à travailler tout d'abord avec l'âme, l'esprit, la pensée, et ajouter ensuite s'il le faut un élément physique pour faciliter le processus.

Le Ciel regarde qui vous servez. S'il voit que vous servez votre propre dieu, votre égoïsme, votre nature inférieure, il se détourne de vous. Il ne distribue pas sa richesse à des gens qui ne pensent qu'à vivre leur vie de malhonnêtetés et de plaisirs. Et si le Ciel vous abandonne, qui vous aidera, qui vous sauvera ? Votre argent ? Votre gloire ? Votre célébrité ? Pour le Ciel, il existe seulement deux catégories d'êtres : ceux qui travaillent uniquement pour eux, pour assouvir leurs propres désirs, et ceux qui font des efforts pour aider leurs frères, pour participer au travail de milliards et de milliards d'entités, dans le monde invisible, qui se sont attelées à la réalisation du Royaume de Dieu sur la terre. Ceux-là sont inscrits dans le grand Livre de la Vie comme des bienfaiteurs de l'humanité et le Ciel ne les abandonne jamais.

Dans l'être humain, le principe masculin, le père, est représenté par l'intellect; le principe féminin, la mère, est représenté par le cœur... Et l'union du principe masculin et du principe féminin donne naissance à l'enfant: l'action. Toutes nos actions sont le fruit de nos pensées et de nos sentiments. On rencontre des personnes très actives dont l'intellect et le cœur ne sont pas tellement développés, mais chez elles aussi l'action est nécessairement l'enfant de l'intellect et du cœur, ou plutôt de l'absence de lumière dans leur intellect et de l'absence de chaleur dans leur cœur. Agir avec intelligence et sensibilité, ou étourdiment et sans aucun sentiment, c'est toujours donner naissance à une activité qui est le fruit de l'intellect et du cœur. La nature de l'enfant dépend du degré d'évolution et de culture des parents. Lorsque nos pensées sont bonnes et que nos sentiments sont bons aussi, nos actes, qui sont la conséquence de la sagesse de notre intellect et de l'amour de notre cœur, sont des actes constructifs. La puissance de notre action est la conséquence d'une liaison correcte entre la sagesse et l'amour.

L'esprit est le principe créateur par excellence. Tout ce qui existe est sorti de l'esprit et est animé par l'esprit, mais tout n'est pas esprit. Notre corps, par exemple, possède quelque chose de l'esprit, mais il est loin de posséder tous les pouvoirs et les qualités de l'esprit. Pour qu'il soit de plus en plus imprégné par les éléments de l'esprit, c'est à nous de faire un travail. Quand nous mangeons, par exemple, nous devons faire en sorte que l'esprit participe à cet acte, afin qu'il imprègne la nourriture et pénètre ainsi notre propre matière. La nourriture contient la vie, mais elle ne possède pas encore l'esprit. C'est à nous, quand nous mangeons, de nous concentrer sur la nourriture pour que l'esprit intervienne, car sa présence apportera des éléments si nouveaux, que tout en nous sera transformé, embelli, ressuscité.

Toutes les pensées que vous formez, les plus faibles, les plus insignifiantes soient-elles, sont une réalité. On peut même les voir, et il y a des créatures qui les voient. La pensée est un être vivant. Evidemment, dans le plan physique, on ne peut ni la voir agir, ni la saisir, mais dans sa région, avec les matériaux subtils dont elle est formée, elle est un être vivant et agissant. L'ignorance de cette vérité est la cause de beaucoup de difficultés et d'épreuves. Les humains ne voient pas, ne sentent pas que la pensée travaille, qu'elle construit ou détruit, ils se permettent de penser n'importe quoi, et ensuite ils sont étonnés de ce qui leur arrive. La pensée est une réalité vivante, c'est pourquoi vous devez vous surveiller pour n'émaner et ne projeter que les meilleures pensées, des pensées pleines d'amour, de bonté, de lumière, d'harmonie. Le vrai savoir commence là : dans la conscience que la pensée est une réalité.

Autant il est vrai que les humains ont besoin d'instructeurs afin de ne pas errer à l'aventure, autant il est vrai aussi qu'une fois instruits et éclairés, c'est à eux de travailler et de faire leurs expériences.

Prenons un exemple très simple. Vous avez la recette d'un plat qui vous a été donnée par un excellent cuisinier et vous avez aussi tous les ingrédients achetés dans les meilleurs magasins ; si vous ne vous décidez pas à aller dans votre cuisine pour préparer ce plat, vous n'aurez rien à manger. Et si vous continuez longtemps comme ça, vous finirez par mourir de faim. Il en est de même dans la vie spirituelle. Une fois que vous avez trouvé le chemin et que vous avez devant vous les meilleurs exemples, vous ne devez compter que sur vous-mêmes ; les acquisitions des autres restent aux autres, c'est à vous maintenant de faire vos propres acquisitions.

Vous ne trouverez le sens de la vie qu'en vous décidant à participer à la réalisation du Royaume de Dieu et de sa Justice. Car là, quoi qu'il vous arrive, vous savez que vous êtes un ouvrier dans le champ du Seigneur et vous vous sentez comblé, heureux, soutenu, car vous participez à un immense travail. Vous n'êtes pas seul, vous n'êtes pas abandonné. Chacun de vous peut trouver dès aujourd'hui le sens de la vie car, dès aujourd'hui, au lieu de travailler pour lui-même, pour la satisfaction de ses besoins, il peut dire : « Désormais, je veux travailler pour le Royaume de Dieu et sa Justice. » Et même si vous êtes inconnu sur la terre, votre nom est écrit dans le Livre de la Vie et vous êtes comblé par les bénédictions du Ciel. Rien n'est plus glorieux que de s'engager dans ce travail. Oui, il faut aller toujours plus loin, avoir des aspirations toujours plus larges, plus vastes : c'est cela véritablement qui donne un sens à la vie.

Ne vous identifiez jamais à votre corps physique, sinon c'est l'idée de la mort qui prendra le dessus. Le corps est vulnérable, il s'affaiblit, il tombe malade et meurt, et si vous vous identifiez à lui, si vous ne cherchez rien au-delà de lui, toute la vie vous resterez faible, maladif, obscur, jusqu'à disparaître. Identifiez-vous à votre esprit, car l'esprit est puissant, lumineux, indestructible, immortel, et grâce à cette identification vous commencerez à devenir comme lui, invulnérable. Voilà l'avantage d'adopter une philosophie spirituelle. Tout est là, dans la façon de comprendre. Malheureusement depuis des siècles on nourrit les humains avec des conceptions qui les affaiblissent, les anéantissent, et on appelle cela l'éducation ! Il faut remplacer ces vieilles idées par d'autres idées, nouvelles, qui donnent la vie, la puissance, la force, l'élévation, afin que nous nous approchions de plus en plus de la Divinité.

Il y a un conte bulgare qui a pour titre «Tsar Troïan». C'est l'histoire d'un roi qui, un matin, en se réveillant, découvrit qu'il avait des oreilles de bouc. A partir de ce jour-là, bien sûr, il fit tout pour les cacher et personne ne savait rien, excepté son barbier qui le rasait tous les jours et qui avait promis de ne rien dire. Mais il était difficile pour lui de garder un secret pareil, et un jour, n'y tenant plus, il alla dans la forêt, se coucha, et confia son secret à la terre: «Tsar Troïan a des oreilles de bouc». Enfin, soulagé, il rentra chez lui. Quelque temps plus tard un arbre poussa. Cet arbre était bizarre; les enfants fabriquaient des sifflets avec le bois de ses branches, mais quand ils sifflaient, on entendait ces paroles: «Tsar Troïan a des oreilles de bouc! Tsar Troïan a des oreilles de bouc!» Le roi finit par l'apprendre; il appela le barbier qui essaya de se disculper en disant qu'il n'avait confié ce secret qu'à la terre. Oui, sans doute, mais à la terre non plus il ne fallait rien dire.

C'est ce conte initiatique que l'on retrouve en Grèce dans la légende du roi Midas qui avait, lui, des oreilles d'âne. Il montre que tout s'enregistre et se transmet. On dit aussi que les murs ont des oreilles... Chaque pensée, chaque sentiment s'enregistre d'abord sur vous-même, mais aussi sur tout ce qui vous entoure, et peut donc être un jour connu de tous.

C'est sur la terre que se fait véritablement l'évolution de l'homme, pas ailleurs. Même celui qui, à cause de ses crimes, est allé souffrir long-temps en Enfer, doit revenir sur terre pour répa-rer le mal qu'il a fait. Car il ne suffit pas de souf-frir, la souffrance n'est pas une réparation pour le mal que l'on a commis. Puisque c'est sur la terre qu'on a commis des crimes, c'est sur la terre qu'il faut venir réparer. Ce n'est d'ailleurs qu'à cette condition que la réincarnation a un sens. Sinon, pourquoi devrait-on redescendre sur la terre puisqu'on a déjà expié ses fautes dans le plan astral*? En réalité il existe une loi d'après laquelle l'homme doit réparer ses erreurs dans toutes les régions de l'univers où ces erreurs ont produit des dégâts.

* Voir note et schéma p.378 et p.379

Les sacrifices d'animaux dont parlent la Bible et les Livres sacrés de toutes les religions s'expliquent par cette connaissance qu'avaient les Anciens concernant la libération des énergies et leur utilisation comme support dans les cérémonies magiques. Lorsqu'il est écrit dans l'Ancien Testament que l'odeur des victimes était agréable aux narines du Seigneur, c'était une façon de dire que les énergies libérées par le corps des animaux et utilisées par les prêtres, rendaient leurs invocations efficaces. Ce qui est d'ailleurs aussi, depuis des siècles, le rôle symbolique donné à l'encens.

Puis Jésus est venu et il a voulu amener les humains vers une conception supérieure du sacrifice. Au lieu d'immoler de pauvres animaux qui n'ont rien fait de mal, il leur a appris à immoler leurs animaux intérieurs : leurs convoitises, leurs passions, etc., car le sacrifice de ces animaux-là libère des énergies encore plus précieuses qu'il est possible d'utiliser pour le travail spirituel.

Quelqu'un se plaint à moi : « Vous nous parlez
du monde divin, des entités lumineuses avec lesquelles nous pouvons entrer en contact par la
pensée. Mais combien de fois j'ai essayé de faire
ce travail et je n'ai pas de résultats, je ne sens
rien. » Que vous n'ayez pas de résultats ne prouve
pas que mes paroles soient mensongères ; mais
à cause de l'épaisseur de la matière qui vous enveloppe, vous n'arrivez pas encore à sentir cette présence du monde divin et de ses habitants qui sont
là, réels. Vous ne sentez rien, vous ne voyez rien
et vous vous imaginez qu'il n'y a rien. Si, il y a
quelque chose, continuez... Eh oui, il faut persévérer. Au fur et à mesure qu'il fait des efforts,
le disciple sent un chemin s'ouvrir devant lui, un
pont se rétablir avec les régions supérieures et il
commence à vivre la vie divine. Un jour même,
il lui suffira de se concentrer quelques minutes
sur ces régions pour qu'il sente aussitôt les bénédictions du Ciel se déverser sur lui.

Renoncer à certains plaisirs sensuels n'a de signification que si c'est pour les remplacer par des acquisitions et des joies spirituelles. Les religieux, les moralistes ont très mal fait leur travail : ils ont imposé des règles sans vraiment en expliquer l'utilité, donnant ainsi aux gens l'impression de vouloir les brimer, les faire vivre dans les privations et le désert. Mais le moment est venu maintenant d'expliquer. Les gens ne sont pas tellement stupides et bornés, ils peuvent comprendre. En tout cas, cela ne sert plus à rien d'imposer des règles sans en présenter l'utilité.

La Science initiatique vous explique que le renoncement n'est pas une privation. Dans la vie spirituelle, le renoncement ne s'accompagne pas d'une perte. Renoncer, c'est remplacer, transposer, déplacer un plaisir sur un plan supérieur. Il s'agit de la même activité, mais avec des éléments plus purs, plus subtils, un but plus désintéressé.

Faire le bien, c'est être capable de donner des fruits. Nous sommes tous venus sur terre pour donner des fruits, c'est-à-dire des pensées, des sentiments et des actes beaux, nobles, grands. Voilà pourquoi il faut toujours surveiller dans quel état intérieur on rencontre les autres. Si vous rendez visite à quelqu'un sans vous préoccuper des effets que vous allez produire sur lui par vos gestes, votre regard, vos paroles, vous allez lui donner une indigestion ou l'empoisonner. Agir ainsi prouve que vous n'avez jamais compris la science du bien. Et ne vous étonnez pas ensuite si votre vie est solitaire et triste... Pourquoi n'avez-vous pas appris à donner des fruits? Quand on donne, on n'est jamais seul. Donnez donc un fruit, c'est-à-dire un travail, un sacrifice, une pensée, un bon regard, un sourire...

Lorsqu'ils décident de fonder une famille, de se lier d'amitié ou de s'associer pour le travail, combien de gens ont tendance à se diriger d'après la première impression de plaisir ou de déplaisir, de sympathie ou d'antipathie! Ils pensent: «Oh, celui-là me dit quelque chose» et, sans raisonner, sans approfondir, ils se lancent, sans voir qu'en réalité ils ont affaire à un malfaiteur. Et ils s'éloignent d'un autre qu'ils trouvent moins sympathique, alors qu'en réalité c'est un homme juste, honnête et bon. Tant que vous vous dirigerez d'après la sympathie ou l'antipathie, qui sont des impressions du moment, et non d'après la sagesse qui voit beaucoup plus loin, vous rencontrerez des désillusions et des échecs.

Une philosophie pernicieuse circule de par le monde, poussant les gens à satisfaire tous leurs désirs et leurs envies, car c'est très mauvais, paraît-il, de ne pas suivre la voix de la nature ou de s'opposer à elle, cela s'appelle du refoulement. Pourtant, si vous êtes lucide et honnête, vous vous rendrez compte que la voix qui parle en vous ne vous pousse pas toujours à chercher uniquement votre plaisir. Quelquefois, au contraire, elle vous conseille d'être plus raisonnable, plus maître de vous-même, elle vous adresse même des reproches : « Pourquoi as-tu fait des folies ? Pourquoi t'es-tu laissé entraîner ? »... Sans doute, cette voix s'exprime-t-elle plus rarement et plus doucement, mais elle est là, on ne peut pas le nier. Eh bien, c'est tout simplement qu'elle est, elle aussi, la voix de la nature, mais la voix de la nature supérieure, alors que l'autre est la voix de la nature inférieure*. Car ces deux natures coexistent en l'homme et les deux cherchent également à se manifester. Voilà un point qui doit être clair pour vous.

* Voir note et schéma p.378 et p.379

De plus en plus de gens s'intéressent à l'occultisme : ils cherchent les secrets qui leur permettront de devenir des mages puissants. Ils pensent les trouver dans des rituels, des talismans, des formules magiques et, sans rien connaître des réalités du monde invisible, ils se lancent dans l'évocation des esprits. Les pauvres malheureux ! Ce qu'ils vont trouver, c'est le déséquilibre psychique et même physique, car ce ne sont pas les esprits supérieurs qui vont répondre à leurs invocations, mais les entités des niveaux les plus bas, les élémentaux et les larves. Oui, voilà la vérité, l'implacable vérité. Et pourquoi ? Parce que pour attirer les esprits lumineux, les anges, les archanges, il n'y a qu'une seule méthode, un seul moyen : progresser chaque jour davantage dans la vie spirituelle. Les entités célestes ne viennent aider et soutenir que les êtres qui manifestent la pureté, l'amour, la justice, la vérité. On ne peut pénétrer les arcanes de l'univers en vivant d'une façon ordinaire. Le monde divin ne nous donne ses bénédictions qu'en proportion de ce que nous faisons nous-mêmes. D'autres, bien sûr, peuvent nous donner ce que nous leur demanderons, mais à quel prix il faudra le payer !

Le disciple véritable est celui qui a conscience d'avoir besoin d'un Maître uniquement pour le stimuler et l'inspirer dans la voie du bien. Et quand il a trouvé ce Maître, il ne doute pas de lui, il ne s'oppose pas à lui, il n'exige rien de lui. Souvent, le Maître ne lui a presque pas parlé, il ne s'est pas occupé de lui, mais le disciple sait que son Maître existe et il est heureux, il fait des progrès parce qu'il l'aime, il croit en lui, il est lié à lui. Même malheureux, pauvre, malade, mourant, il se sent consolé, réconforté seulement à la pensée que son Maître existe, car l'image qu'il a de lui dans sa tête, dans son cœur, est toute-puissante. C'est ce Maître intérieur qui lui ouvre toutes les portes.

Il ne suffit pas de fréquenter un Maître pour évoluer. On fréquente le soleil, les sources et on reste le même. Pourquoi ? Parce qu'on est fermé. Pour s'ouvrir, il faut la foi et l'amour. La foi et l'amour sont les clés qui ouvrent toutes les portes.

Vivez une vie intense, car c'est elle qui chaque jour vous révélera de nouvelles vérités. Vous direz : «Mais comment peut-on faire des découvertes au-dedans de soi? En lisant, en étudiant, d'accord. Mais tout seul, en soi-même, peut-on vraiment découvrir quelque chose?» Oui, grâce à la vie intense, c'est-à-dire la vraie vie spirituelle, vous trouverez les vérités essentielles concernant l'homme et l'univers! Jamais vous ne découvrirez ces vérités si elles n'ont pas leur source en vous, si vous ne les avez pas vécues. Bien sûr, quelqu'un peut vous les révéler, un être que vous aimez et en qui vous avez confiance; mais il faudra pourtant que vous en fassiez vous-même l'expérience.

Si les gens sont plongés dans l'incertitude, le doute, c'est parce qu'ils ont cherché la vérité par une voie extérieure à eux et dont ils ne peuvent jamais être sûrs. Seule la voie intérieure rend le doute impossible. Là, même si vous voulez douter, vous ne pouvez pas!

Tous les pères et les mères qui souhaitent pour leurs enfants la facilité, l'opulence, les succès, y sont évidemment poussés par leur amour ; mais c'est un amour aveugle qui n'envisage pas la véritable évolution des enfants. Bien sûr, cela ne signifie pas que les parents doivent souhaiter que leurs enfants souffrent pour évoluer, et ils n'ont d'ailleurs pas à se préoccuper de cela. Leur désir doit être seulement que ces enfants deviennent des bienfaiteurs de l'humanité, et c'est au Ciel de décider par quelles expériences il les fera passer pour les conduire jusque-là. Peut-être leur enverra-t-il des maladies, des ennemis, des opprobres, mais peu importe. Si les parents savent alors comment parler à leurs enfants, comment les conseiller, les soutenir à travers les épreuves au lieu de vouloir à tout prix les leur épargner, ces enfants iront loin, très loin, tellement loin qu'il ne restera plus trace, un jour, de ces difficultés. Les parents aiment leurs enfants, mais que deviendront ces enfants si on leur épargne toutes les souffrances ? Ils vont s'abrutir, c'est tout.

L'homme ne possède encore ni le savoir ni les capacités qui lui permettraient de vaincre le mal. La meilleure solution, c'est de laisser le bien et le mal vivre ensemble et d'utiliser l'activité et les forces extrêmement puissantes contenues dans les éléments du mal, c'est-à-dire de prendre quelques doses infinitésimales du mal pour stimuler les forces du bien. Exactement comme pour une greffe. Que fait le jardinier? Sur la tige d'un jeune poirier sauvage aux fruits immangeables, il fixe, par exemple, le rameau d'un poirier de bonne qualité qui profitera de la vigueur de l'arbre sauvage. De la même façon sur l'arbre du mal, on peut fixer les rameaux de l'arbre du bien. Alors, de même que les forces du mal cherchent toujours à s'emparer des forces du bien pour les faire servir à leurs desseins, de même le bien a tous les droits de puiser et d'utiliser pour son travail les forces du mal.

L'arbre est une créature vivante qui sait attirer et accumuler l'énergie solaire. Si on le brûle, on constate qu'il est fait d'un peu de terre, d'eau en plus grande quantité, d'air un peu plus encore, mais c'est le feu, la lumière qui entre pour la plus grande part dans sa constitution. Et l'homme est construit à l'image de l'arbre : il est fait de feu, de lumière, il possède la même quintessence que le soleil. Pourquoi égarer les gens en leur répétant qu'ils ne sont que de la terre, qu'ils ne peuvent se nourrir que de matière et qu'ils retourneront à la terre ? Les Initiés au contraire nous disent : « Vous êtes faits de lumière, vous pouvez vous nourrir de lumière, et vous retournerez à la lumière. » Oui, l'homme est identique à l'arbre, et s'il connaissait les lois avec lesquelles la nature travaille, il pourrait lui aussi fixer et conserver cette force cosmique, cette énergie du feu céleste, c'est-à-dire toutes ces formes de l'esprit que sont l'intelligence, la lumière, l'amour...

Les connaissances que les gens ont acquises au cours de leurs études, au service de qui ou de quoi les mettent-ils? Combien y en a-t-il qui prennent conscience de leur responsabilité et qui se disent: «Voyons, avec toutes ces connaissances, il faut que je fasse le bien, que j'aide les autres, ce n'est pas moi seul qui dois en profiter»? Croyez-vous que ce soit toujours de façon désintéressée que les médecins ont choisi leur métier? Et les avocats? Et les chimistes, les ingénieurs, les économistes, les journalistes, mettent-ils vraiment leurs connaissances au service des autres? Ce que la plupart d'entre eux veulent, c'est le succès, la gloire, le confort, les plaisirs...

Les études par elles-mêmes ne rendent pas les êtres meilleurs. Au contraire, souvent elles font d'eux de véritables dangers publics! En revanche, des connaissances dans les mains de ceux qui ont travaillé sur leur caractère et qui sont décidés à ne pas les utiliser pour leur propre profit, mais pour le bien de tous, voilà une source de bénédictions.

Pour modifier les formes de votre être intérieur, vous devez chercher à vous approcher de la région du feu, c'est-à-dire la région de l'esprit et, par la méditation, par la prière, vous modeler, vous façonner. Si vous refusez de faire ce travail, ce sont les souffrances qui viendront vous brûler et vous fondre. Car l'Intelligence cosmique n'accepte pas que l'être humain reste là à stagner. Alors, n'attendez pas, décidez-vous à connaître la puissance du feu céleste, à le sentir, à le posséder. Tâchez de comprendre sa nature, comment il vient jusqu'à nous pour nous remuer profondément et comment il peut nous communiquer ses propriétés. Il faut arriver à l'absorber, pour que les vieilles formes déjà durcies en nous fondent à sa chaleur et puissent être remodelées.

Tous les êtres, aussi grossiers et matérialistes soient-ils, ont été créés dans les mêmes ateliers que les plus grands génies, ou les plus grands Initiés ; seulement le temps n'est pas encore venu pour eux de manifester les mêmes dons, les mêmes vertus. Mais ce temps viendra pour eux aussi, et ils chercheront la beauté, la pureté, la lumière, l'immensité. Ils comprendront que les activités et les biens matériels ne sont nécessaires que comme un support, un récipient, une enveloppe pour soutenir, abriter ou contenir la vie de l'esprit. Et quand ils commenceront à comprendre que ce qu'ils prenaient pour l'essentiel n'en était en réalité que l'enveloppe, l'écorce, leur regard changera. Oui, seulement leur regard : ils cesseront de regarder les récipients pour s'intéresser au contenu et ce sera pour eux le commencement de la vraie vie.

Quand vous vous sentez malheureux, découragé, au lieu de rester là sans rien faire, sauf vous gaver de pilules et importuner les autres en leur étalant vos angoisses et vos cauchemars, pensez à travailler avec votre imagination. Imaginez-vous entouré de lumière, envoyant votre amour à travers le monde entier, résistant aux difficultés et aux tentations... Peu à peu, les images que vous formez deviendront vivantes, elles agiront sur vous, elles vous transformeront en même temps qu'elles travailleront à attirer de l'univers les éléments appropriés pour les introduire en vous. Bien sûr, beaucoup de temps et de travail seront nécessaires. Au début, les effets de ces exercices ne se feront pas sentir très longtemps. Vous devrez souvent les reprendre. Mais un jour, le résultat sera là, définitivement, vous ne pourrez pas en douter : vous sentirez au-dessus de vous une entité vivante qui vous protège, vous instruit, vous purifie, vous éclaire et, dans les cas difficiles, vous apporte le soutien dont vous avez besoin.

Dans les Evangiles Jésus a dit: « Tu aimeras le Seigneur ton Dieu, de tout ton cœur, de toute ton âme, de toute ta pensée et de toute ta force. Voilà le premier commandement.» Je vous ai déjà expliqué que la force correspond au domaine de l'esprit, car seul l'esprit possède la véritable force. L'homme doit donc aimer Dieu avec son cœur, son intellect, son âme et son esprit, c'est-à-dire avec les quatre principes qui constituent sa vie psychique. De ce commandement, on peut rapprocher le précepte du Maître Peter Deunov: « Ayez le cœur pur comme un cristal, l'intellect lumineux comme le soleil, l'âme vaste comme l'univers, l'esprit puissant comme Dieu et uni à Dieu.» C'est là le plus haut idéal qu'il nous ait donné.

Ne vous abandonnez jamais sans réagir à certaines tendances ou habitudes mentales pernicieuses, car avec le temps vous en deviendrez peu à peu prisonniers. Et ne dites pas : « Oh ! le moment venu, je me corrigerai, je redresserai la situation. » Non, vous vous faites des illusions, c'est justement au moment où vous voudrez reprendre la bonne direction que ces tendances se manifesteront le plus puissamment. Oui, c'est le jour où on veut se redresser que l'on se rend compte combien on est ligoté. Tant qu'on n'est pas conscient d'être esclave et qu'on ne veut rien faire pour s'en sortir, on ne se sent pas asservi, mais le jour où on veut se libérer, aïe, aïe, aïe !... Alors faites attention, ne vous laissez jamais aller en vous disant que, le moment venu, vous arriverez à vous ressaisir. Bien sûr, si vous le voulez vraiment, vous y arriverez, mais avec combien plus d'efforts et de peines !

Le bonheur est comme une balle après laquelle on court... Et au moment de l'attraper, on lui donne un coup de pied... pour pouvoir continuer à courir après elle! Car c'est dans cette course qu'on se sent stimulé; c'est dans cette recherche, cet élan pour toucher au but que l'on trouve en réalité le bonheur. Donc, quand vous avez un désir, ne vous pressez pas de le satisfaire, car c'est lui qui vous soulève, qui vous remplit. Tâchez de comprendre cette loi et mettez dans votre âme, dans votre esprit, des désirs que vous ne pourrez jamais réaliser : ce sont ces désirs qui vous feront vivre.

Eh oui, voilà le secret. Pourquoi demander ce que vous pourrez réaliser en quelques mois, en quelques années? Mettez-vous à la recherche de ce qui est le plus lointain et le plus irréalisable : la perfection, l'immensité, l'éternité, et en chemin vous trouverez tout le reste : la connaissance, la richesse, la puissance, l'amour... Vous les aurez sans même les demander.

Pourquoi les épreuves que la vie envoie aux humains sont-elles bénéfiques pour les uns et néfastes pour les autres? Pourquoi certains succombent-ils ou deviennent méchants, alors que d'autres au contraire renforcent leur volonté, leur amour, leur lumière? Pour que les épreuves soient bénéfiques, il ne suffit pas d'être costaud ou volontaire, il faut que la pensée, le bon raisonnement puisse venir dire son mot. La première chose que doit faire le disciple devant une épreuve, c'est de l'accepter en se disant que, puisqu'il est fils de Dieu, il possède en lui-même les moyens de la surmonter. Puis il doit chercher ces moyens, qui peuvent être de toutes sortes. Mais la première chose à faire reste d'accepter l'épreuve, ne pas dire: «Comment? Ce n'est pas possible qu'il m'arrive à moi une chose pareille!» Eh bien si, justement, c'est à toi, et tu dois essayer d'en tirer les éléments les plus utiles pour ton évolution. C'est pourquoi il faut aimer les épreuves! Mais les aimer ne signifie pas les chercher stupidement. De toutes façons elles viendront sans que vous les cherchiez. Il faut aimer les épreuves seulement parce que c'est la meilleure façon de les traverser.

Ne croyez pas que vous pourrez accéder au monde divin si vous ne travaillez pas à vous mettre en harmonie avec lui, car alors, au moment où vous allez vous présenter à la frontière, vous serez arrêté par un douanier qui vous dira : « Que portes-tu dans tes valises ? C'est-à-dire qu'as-tu dans ta tête ? Mais ce sont des pensées affreuses ! Je ne vois que des calculs, des manigances, des critiques. Et maintenant, montre ton cœur. Oh là là, qu'est-ce que c'est que cet égoïsme, cette jalousie ? Et voyons ta volonté. Mais ce n'est pas mieux : cette faiblesse, cette paresse... Eh bien, sache que tu ne peux pas passer comme ça. » Oui, de même qu'il y a des pays qui n'acceptent pas l'entrée de certains produits, de certains objets, le Royaume de Dieu est aussi un pays où les faiblesses, les mauvaises pensées, les mauvais sentiments ne sont pas acceptés. Ou vous vous en débarrassez, ou vous n'entrez pas. Seul celui qui remplit les conditions est autorisé à pénétrer dans le Royaume de Dieu.

Quoi qu'il vous arrive, n'oubliez jamais que Dieu a créé l'homme à son image et que, quel que soit le degré de déchéance ou de désespoir où il puisse tomber, il est impossible qu'il se perde définitivement : il sera toujours retenu sur le bord de l'abîme. Par moment, on peut penser qu'il est en train de se précipiter la tête la première vers le néant, mais en réalité quoi qu'il fasse, quels que soient les dangers auxquels il s'expose, il finira par être sauvé. Car il porte l'empreinte divine inscrite profondément en lui : c'est elle qui, même au moment où on le croit en train de se perdre pour toujours, le retient comme une main puissante et lui donne la possibilité de reprendre le chemin vers la lumière.

Retenez bien cela : même si l'homme est la proie de forces qui l'entraînent vers les gouffres, rien n'est jamais irrémédiablement perdu, car le Créateur a mis en lui une sorte de verrou de sécurité, une étincelle qui pour l'éternité témoignera de son appartenance divine.

La croix représente les deux principes masculin (la ligne verticale) et féminin (la ligne horizontale) qui s'unissent pour travailler ensemble dans l'univers. Mais ce travail se fait à partir d'un centre : le point d'intersection des deux branches de la croix. Ce centre réunit les forces ; sans lui tout s'éparpillerait sur le disque dès que la croix commence à tourner. Car la croix tourne, et en tournant ses branches tracent un cercle. La croix en mouvement, c'est le svastika. Ce mouvement peut se faire vers la droite ou bien vers la gauche.

La croix qui tourne vers la droite signifie qu'on visse pour empêcher les énergies de se manifester : on les maintient pour les dominer ; c'est le symbole de la spiritualité qui freine le cours des forces instinctives. Si la croix tourne dans l'autre sens, cela signifie qu'on desserre les freins pour déclencher les forces brutes et qu'on ferme ainsi le passage aux puissances sublimes de l'esprit.

Vous avez fait du bien à quelqu'un, vous lui avez, par exemple, donné de l'argent. Puis, un jour, vous trouvez qu'il ne méritait pas votre aide : vous allez raconter au monde entier ce que vous avez fait pour lui, qu'il n'a pas été à la hauteur de votre bonté, etc. Pourquoi raconter tout ça ? Si vous allez vous plaindre partout en regrettant le bien que vous avez fait, vous démolissez ce bien. Il était inscrit en haut que vous deviez être récompensé, et maintenant en agissant comme vous le faites, vous effacez votre bonne action.

Il faut apprendre à fermer un peu les yeux et à pardonner, c'est ainsi que vous grandissez ; et même, ce que vous avez ainsi perdu vous sera rendu plus tard au centuple. Quoi que l'on vous fasse, n'essayez pas de vous venger, mais attendez que le ciel se prononce en votre faveur, ce qui arrivera obligatoirement un jour ou l'autre.

Quand vous avez pris votre repas, la diges-
tion des aliments dure trois ou quatre heures.
Cependant la faim est apaisée beaucoup plus
rapidement et, un quart d'heure après le repas,
déjà, vous vous sentez prêt à agir et à retourner
au travail. Cela prouve que la partie la plus subtile des aliments est absorbée par la bouche pendant la mastication. C'est seulement la partie la
plus grossière de la nourriture qui est assimilée
par l'estomac et l'intestin.

Dans la vie spirituelle, la méditation est comparable à la mastication d'une idée. Quand vous
méditez longtemps sur une idée, que vous la
«mâchez», vous recevez pendant ce temps dans
la superconscience un courant puissant de forces
et d'énergies, grâce auquel vous pouvez continuer
votre travail dans le champ du Seigneur.

Jésus disait : « Si vous ne devenez pas comme des enfants, vous n'entrerez pas dans le Royaume de Dieu. » A-t-on vraiment compris ce que signifie devenir comme un enfant, et pourquoi devenir comme un enfant est la condition à remplir pour entrer dans le Royaume de Dieu ? Un enfant est fragile, vulnérable et confiant, ce qui éveille chez les adultes le désir de le protéger. Jésus voulait dire qu'il faut rester des enfants vis-à-vis des êtres qui sont allés plus loin que nous : les Initiés, les grands Maîtres, car ils peuvent s'occuper de nous, nous guider, nous instruire, nous protéger.

Parce qu'on est adulte, on croit n'avoir aucun besoin de parents spirituels. Voilà l'erreur, et c'est à ce moment-là que commencent les malheurs. Nous devons rester des enfants vis-à-vis de ceux qui nous ont dépassés ; c'est à cette condition que nous entrerons dans le Royaume de Dieu, dans la joie, le bonheur, l'espérance. Même si ici, sur la terre, nous sommes obligés de devenir des adultes, nous devons rester des enfants vis-à-vis de nos parents divins.

Dans les difficultés, on s'attend de la part des gens instruits et cultivés à des réactions mesurées, raisonnables. Mais le plus souvent, ce n'est pas du tout ce que l'on voit : un rien les met dans des états pitoyables de colère ou de dépression, et ils n'ont aucun pouvoir, aucune volonté pour y remédier. Toute leur instruction, toute leur érudition est incapable de les aider. Quand comprendront-ils que l'essentiel, c'est de vivre, et non d'être professeur, ingénieur ou économiste ? A quoi cela leur sert-il de se pavaner avec les richesses des autres qu'ils ont prises dans les livres ? Ce qu'ils sont arrivés à réaliser, eux, voilà ce qu'ils doivent montrer. S'ils en sont incapables, qu'ils laissent leurs connaissances livresques tranquilles et qu'ils aillent enfin s'exercer à l'essentiel : travailler sur leur caractère !

Les situations ne s'arrangent pas depuis le bas, en prenant des décisions dans la matière ; il faut que l'impulsion vienne d'en haut, d'une exigence de l'esprit. Tous ceux qui ne connaissent pas cette loi essaient toujours d'intervenir dans le plan physique pour changer les choses, les déplacer, les démolir ou les reconstruire. Mais voilà, l'histoire nous apprend que ces interventions ne sont pas durables : quelque temps après, une vague survient qui emporte toutes ces réalisations.

Seul ce qui est fondé en haut, dans le monde de l'esprit, est éternel ; le reste est passager, transitoire. Donc, quand vous voulez améliorer durablement une situation, vous devez vous élever très haut dans le monde de l'esprit, et là travailler, prier, formuler des demandes, créer des images qui, un jour, se réaliseront dans le plan physique. Si vous savez déclencher les forces lumineuses en haut, un jour tous les obstacles seront balayés et un ordre nouveau d'harmonie et de paix s'installera sur la terre.

Combien de soi-disant spiritualistes n'ont d'autre but que leur propre intérêt et non l'intérêt de la collectivité universelle! Ils n'ont pas encore compris que tout ce que l'homme fait en désaccord avec l'ordre universel, non seulement produit des dégâts, mais finit par se retourner contre lui. Il ne suffit pas que ce que vous faites vous convienne à vous, car vous n'êtes pas seul; il y en a d'autres, dans le monde divin, qui ont à se prononcer sur vos actes, et si vous avez transgressé les lois divines, vous serez puni d'une manière ou d'une autre. C'est pourquoi il est important que vous consacriez plusieurs fois par jour quelques minutes à vous harmoniser avec les puissances lumineuses de l'univers. Ce n'est pas du temps perdu, au contraire, vous gagnez quelque chose de très précieux: vous entrez en contact avec des entités qui viennent vous assister et vous soutenir.

L'esprit de l'homme est fils de Dieu, étincelle immortelle jaillie de son sein. Tous les pouvoirs, tout le savoir du Seigneur sont contenus en lui. Alors pourquoi l'esprit est-il tellement limité dans ses manifestations ? A cause du corps physique qui est encore trop grossier, trop matériel. Mais ce n'est pas là une raison pour mépriser le corps, pour le martyriser, comme l'ont fait des chrétiens pendant des siècles. Dieu a construit notre corps avec une grande science, une grande sagesse, il est le meilleur instrument qui nous est donné, et si nous savons travailler sur lui chaque jour pour purifier et affiner sa matière, nous le rendrons capable de vibrer en harmonie avec l'esprit. L'homme qui méprise et néglige le corps, comme celui qui ne cherche qu'à en tirer toutes les jouissances sensuelles, est dans l'erreur. Seul celui qui a compris que la mission du corps est de manifester toutes les splendeurs cachées dans l'esprit, de devenir un jour le temple vivant de l'esprit, est sur le bon chemin. Comment imaginer que ce corps que Dieu a donné à l'homme ait pour unique fonction de s'opposer à l'esprit, d'éteindre la flamme de l'esprit qui fait justement de l'homme un fils de Dieu ? C'est insensé !

Vous avez deux coupes remplies de parfum : en tant que récipients, elles sont séparées l'une de l'autre, mais les parfums qu'elles contiennent montent et vont se mêler en haut. Les humains sont comparables à des vases de parfum : leurs corps sont séparés, mais par leurs pensées, leur âme, leur esprit, ils peuvent rencontrer d'autres êtres humains, et aussi des entités du monde invisible à travers tout l'univers. Par leur quintessence ils touchent les esprits qui leur correspondent, ils font des échanges, ils vibrent à l'unisson. C'est de cette façon également que nous pouvons toucher le Seigneur et communier avec Lui, car il s'agit tout simplement d'un phénomène de résonance. Voilà une réalité qu'il faut connaître pour bien comprendre la raison d'être de la prière, de la méditation, de la contemplation, de l'identification. En cherchant à vous élever par la pensée, vous arrivez peu à peu à toucher l'Ame universelle, à vibrer à l'unisson avec elle. Il se produit alors entre elle et vous une fusion : vos faiblesses sont chassées et ses qualités entrent en vous pour vous transformer.

Le bonheur que cherchent les humains est toujours lié à des possessions : des maisons, de l'argent, des décorations ou bien des femmes, des enfants. Tant qu'ils ne les ont pas, ils ne peuvent pas se sentir heureux. Leur bonheur dépend de ce qu'ils possèdent, et s'ils viennent à le perdre, c'est la catastrophe. Mais si vous parvenez un jour à découvrir ce qu'est le vrai bonheur, vous sentirez qu'en réalité il ne dépend d'aucun objet, d'aucune possession, d'aucun être ; il vient d'en haut et vous êtes étonné de découvrir vous-même, sans arrêt, cet état de conscience merveilleux... Vous vous réjouissez sans savoir pourquoi vous êtes heureux. Voilà le vrai bonheur.

Le jour où vous arriverez à vous plonger dans l'océan de l'harmonie universelle, vous n'aurez plus besoin d'aller chercher quoi que ce soit pour votre bonheur, vous y serez continuellement plongé. C'est comme une respiration : inspirer, expirer... inspirer, expirer... Oui, le bonheur est comme la respiration de l'âme.

Symboliquement les vallées représentent la bonté, la générosité, la douceur, la fertilité. C'est dans les vallées qu'il y a des arbres, des jardins, des fruits, des fleurs, des villes peuplées d'êtres humains, pas sur les sommets. Sur les sommets on trouve le roc, la glace, la stérilité. Vous vous plaignez d'être solitaire? Eh bien, descendez dans la vallée où règne l'abondance, où coulent les eaux de l'amour. Le savoir que vous avez acquis sur les sommets doit fondre pour former des ruisseaux, des rivières, et fertiliser les vallées. Vous devez monter sur les montagnes par votre intelligence et descendre dans les vallées par votre amour.

On peut douter de beaucoup de choses, mais il y a une loi dont les Initiés ne doutent jamais, c'est que l'on récolte ce que l'on sème ; et si on fait le bien, on en récoltera aussi, tôt ou tard, les fruits.

Mais ce qu'il faut également savoir, c'est que les lois cosmiques ne sont pas aussi pressées que nous ; elles obéissent à un autre temps, c'est pourquoi les récompenses sont souvent un peu retardées, et les punitions aussi, d'ailleurs ! Si vous vous impatientez, si vous vous révoltez parce que vous estimez ne pas avoir reçu les récompenses que vous méritez, vous compliquez la situation. Pourquoi souffrir, vous tourmenter ? Tôt ou tard ces récompenses viendront, c'est sûr ; alors ne perdez pas votre temps à les attendre, ainsi vous serez libre, dégagé. Puisque vous savez que des cadeaux sont déjà en route pour venir vous récompenser, faites confiance. Si vous êtes aigri, révolté, cela montre que vous ne possédez pas le vrai savoir.

Quand on voit les différences qui existent entre les êtres humains, comment certains sont toujours poussés à réaliser de grandes choses, alors que d'autres sont uniquement occupés à des futilités et à des mesquineries, on se pose la question: «Mais pourquoi cette différence? D'où vient-elle?» Eh bien, c'est simple. Les premiers regardent vers le haut, ils se comparent à tous ceux qui les ont dépassés et les prennent pour modèle, tandis que les autres se contentent de points de comparaison tellement inférieurs qu'ils se trouvent toujours assez bien et ne progressent pas. Pour évoluer, il faut un exemple, un échantillon auquel se comparer; et cet échantillon, c'est la vie et l'enseignement de tous les êtres les plus purs, les plus sages, les plus nobles.

Il existe deux sortes de savoir. Le premier, le savoir officiel que vous recevez dans les écoles et les universités, vous donne toutes les possibilités matérielles : une situation, de l'argent, du prestige. Mais ce savoir ne vous transforme pas, et vous restez toujours le même avec vos inquiétudes, vos faiblesses. Tandis que l'autre savoir, le savoir initiatique ne vous donne peut-être ni situation, ni prestige, mais il vous transforme. Bien sûr, comme les humains sont plus intéressés par ce qui leur apportera des avantages matériels, c'est le savoir officiel qu'ils recherchent. Malheureusement ce savoir ne dure pas ; on ne peut pas transporter les connaissances livresques dans l'autre monde, on ne les a que pour une incarnation. Et qu'est-ce qu'une incarnation ? Un rêve, un rêve qui ne dure pas longtemps. Tandis que le savoir initiatique qui nous transforme et nous apprend le sens de la vie, s'imprime en nous pour l'éternité.

Quand tout va bien, les humains ne sont occupés que de leurs affaires, de leurs intérêts, de leurs plaisirs. Et puis, quand ils ont des soucis, des chagrins, soudain ils pensent au Seigneur et se demandent pourquoi Il ne vient pas les aider. Ils voudraient que le Seigneur se rende compte qu'il y a là un pauvre malheureux qui souffre et qu'Il se présente pour le consoler et le sortir de ce pétrin. Evidemment, Il n'a rien d'autre à faire, le Seigneur... Je ne veux pas dire qu'Il ne nous aide pas, si, mais c'est nous qui ne savons pas recevoir cette aide. Prenons l'exemple du soleil. Le soleil est très puissant, il fait tourner toutes les planètes, c'est lui qui les entraîne et les vivifie, mais malgré toute sa puissance, si vous n'ouvrez pas le rideau, il ne peut pas entrer dans votre chambre. Vous laissez le rideau tiré et vous dites : « Entre, entre, mon cher soleil, je t'invite. » Et le soleil répond : « Mais je ne peux pas. — Pourquoi ? — Le rideau que tu as tiré, ouvre-le. » Eh oui, il suffit d'un simple rideau. Alors, celui qui a compris ouvrira le rideau, le soleil entrera et la lumière l'inondera. Le soleil est un symbole du Seigneur. Bien sûr, le Seigneur est tout-puissant, Il fait mouvoir l'univers, mais quand il s'agit de tirer un rideau, Il ne peut pas ; c'est à nous de le faire pour qu'Il puisse entrer et nous aider.

Les humains ont tendance à n'accepter que
ce qui leur fait plaisir. Mais le plaisir n'est pas
un guide sûr, et quand on s'est laissé aller à ce
qui est agréable, la suite est toujours désagréable.
C'est tout d'abord agréable de faire des festins
dans un restaurant, mais quand on doit payer,
c'est un peu désagréable. Pourquoi s'imaginer
qu'on pourra manger à satiété sans rien payer ?
Dans la vie tout se paie ; d'une façon ou d'une
autre, tout se paie. Dans les plans astral et mental
comme dans le plan physique, il y a des marchés,
des magasins, des vitrines, tout est étalé devant
vous pour que vous vous serviez ; mais une fois
que vous vous êtes servi, il faut payer. Et c'est
là justement, devant la pensée du paiement,
qu'on doit se retenir en se disant : « Cela ne vaut
peut-être pas la peine, ce sera trop cher, le plaisir
est passager, il n'en restera bientôt aucune trace
et il me faudra des années pour payer mes
dettes. »

Par la méditation, la contemplation, le disciple cherche à se fusionner avec la Divinité. Les Initiés de l'Inde ont résumé cet exercice de fusion par la formule : « moi, c'est Lui » ; c'est-à-dire seul Lui existe, moi je ne suis qu'un reflet, une répétition, une ombre, je n'existe que pour autant que je suis capable de me fondre en Lui. En réalité, nous n'existons pas en tant que créatures séparées du Seigneur, nous faisons partie de Lui. C'est pourquoi la Science initiatique enseigne à l'homme les méthodes qu'il doit employer pour se détacher des images illusoires de lui-même. Quand nous disons : « moi, c'est Lui », nous comprenons que nous n'existons pas en dehors du Seigneur et nous nous lions à Lui, nous nous approchons de Lui jusqu'à devenir un jour comme Lui.

La vie se présente à nous comme une succession de problèmes à résoudre. Celui qui, au lieu de s'efforcer de les résoudre honnêtement, cherche à échapper à ces problèmes, se trouvera bientôt devant des difficultés insurmontables. Pourquoi? C'est très simple. Vous êtes allé à l'école, n'est-ce pas? Et là vous avez étudié la grammaire, les mathématiques, etc. Pour chaque discipline vous avez eu des exercices à faire. Prenons les mathématiques, par exemple. Imaginez qu'un élève commence par négliger les exercices correspondant à la première leçon, il lui manque les éléments pour aborder les leçons suivantes. Alors, que va-t-il faire? La situation devient de plus en plus difficile pour lui et le moment arrivera où il ne pourra plus s'en sortir. Il en est de même avec les problèmes que la vie nous présente: chaque problème bien résolu nous donne les éléments pour affronter les problèmes suivants dans les meilleures conditions, car les efforts que nous avons faits portent leurs fruits: avec chaque exercice nous devenons plus perspicaces, plus patients, plus résistants.

Il faut que tout cela soit bien clair pour vous: ce n'est qu'en apparence que vous pouvez fuir les difficultés comme l'écolier qui fait l'école buissonnière; en réalité les problèmes non résolus restent là comme autant d'obstacles sur votre chemin, et vous vous trouverez bientôt devant une barrière insurmontable.

La science de l'avenir sera celle de la lumière
et des couleurs. Car la lumière, cette substance
apparemment si faible et inoffensive, est en fait
la plus grande force qui existe dans l'univers :
c'est elle qui a mis en mouvement toute la création. Grâce à elle, vivent les pierres, les plantes,
les animaux, les hommes, et les mondes tournent.
C'est ce qu'expriment les premiers mots de
l'Evangile de saint Jean : « Au commencement
était le Verbe, et le Verbe était avec Dieu, et le
Verbe était Dieu. Tout ce qui a été fait a été fait
par lui, et rien de ce qui a été fait n'a été fait sans
lui. » Oui, tout ce qui a été fait provient de cette
lumière originelle, le Verbe.

Avec les grandes vérités et les bonnes influences qu'il reçoit, avec l'aide des Anges, le disciple d'une Ecole initiatique commence à se souvenir du monde lumineux d'où il est descendu et vers lequel il doit retourner un jour. La plus grande bénédiction pour le disciple est de se souvenir... Il devra aussi se souvenir de toutes les souffrances qu'il a endurées, et même de toutes les fautes qu'il a commises, de toutes les dettes qu'il a contractées, car il lui faudra retrouver tous les êtres qu'il a lésés afin de se réconcilier avec eux et de réparer ses torts pour liquider son karma. C'est cela qui attend le disciple, c'est cela qui vous attend tous. Vous serez obligés un jour de corriger toutes les erreurs que vous avez commises, de réparer tout le mal que vous avez fait.

La vie présente toutes sortes de tentations, et si le disciple n'a pas encore suffisamment appris à se contrôler pour résister, il succombe et ensuite, bien sûr, il regrette, parce qu'il sent qu'il s'est affaibli, avili. Pour la majorité des gens, c'est normal d'être tenté et de succomber à la tentation, c'est presque pour cela, d'après eux, qu'ils sont descendus sur la terre : pour se précipiter vers tout ce qui les attire. Le disciple a une autre vision des choses : il sait qu'il n'est pas venu sur la terre pour chercher le plaisir, mais pour faire un travail sur lui-même. Alors, pour éviter toutes sortes de déconvenues, avant de se lancer dans une entreprise il se dit : « En faisant ceci ou cela, je satisferai mes désirs, bien sûr, mais quelles seront les répercussions de ma conduite sur moi et sur mon entourage ? » Et il réfléchit... Celui qui ne se pose pas ces questions est ensuite étonné de voir arriver des situations ou des problèmes auxquels il ne s'attendait pas. Eh bien, justement, il ne doit pas s'étonner : ce qui lui arrive était à prévoir. Les conséquences sont toujours prévisibles.

Les alchimistes cherchaient la pierre philosophale pour transformer les métaux en or. Oui,
mais un alchimiste doit être plus qu'un bon chimiste. Le chimiste n'a besoin, pour réussir son
expérience, que de savoir manipuler des éléments
matériels ; mais l'alchimiste doit aller plus loin,
et pour réussir il a besoin d'introduire dans son
travail des éléments spirituels. Certains alchimistes qui connaissaient parfaitement la formule de
fabrication de la pierre philosophale ne sont
jamais parvenus à rien, bien qu'ils aient soigneu-
sement préparé tous les éléments. Fabriquer la
pierre philosophale est moins un processus physique qu'un processus psychique et spirituel, et
celui qui veut l'obtenir doit étudier les vertus et
les réaliser en lui-même ; ce n'est qu'à cette condition que la matière lui obéira et qu'il deviendra
un véritable alchimiste.

Vous ne trouverez vraiment le bonheur dans l'amour que le jour où vous comprendrez que l'amour ne réside pas dans la possession physique d'un être. L'amour véritable, vous ne pourrez le goûter que dans ce quelque chose de subtil qui, à travers un être, vous lie à tout l'univers, à la beauté des fleurs, des forêts, des sources, du soleil, des constellations. Ne vous dépêchez pas de supprimer la distance physique qui vous sépare des êtres, sinon vous perdrez peu à peu tout ce monde subtil, et il ne vous restera que le côté prosaïque, matériel.

Chaque jour vous avez la possibilité d'attirer les esprits lumineux. Adressez-vous à eux: « Venez, venez, amis célestes, installez-vous. » Vous pouvez dire encore: « Seigneur Dieu, Mère Divine, Sainte Trinité, et tous les Anges et les Archanges, serviteurs de Dieu, serviteurs de la lumière, tout mon être vous appartient, disposez de moi pour la gloire de Dieu, pour son Royaume et sa Justice sur la terre. » Savoir prononcer ces paroles, c'est cela la vraie consécration. Si vous n'apprenez pas à inviter les esprits célestes, ne vous étonnez pas ensuite si ce sont d'autres entités, pas du tout célestes, celles-là, qui viennent s'installer en vous. C'est à vous qu'il appartient de décider par qui vous voulez être « occupé ». Si vous n'invitez pas les Anges chez vous, ils ne chercheront pas à pénétrer; ce sont les diables qui pénétreront sans attendre votre invitation.

L'erreur de beaucoup de spiritualistes, c'est qu'ils ne donnent pas à leur activité une base solide. Ils se lancent comme ça, sans aucune préparation, en pensant qu'il suffit d'en avoir le désir pour que le monde invisible se révèle à eux, que les anges viennent les servir et que tous les pouvoirs tombent dans leurs mains. Eh non, malheureusement non. Le véritable spiritualiste passe vingt ou trente ans à se préparer, et peut-être un jour, d'un seul coup, il obtiendra tout ce qu'il souhaite. C'est la préparation qui est longue dans le domaine spirituel. Mais les gens ne se préparent pas, ils continuent à entretenir dans leur for intérieur n'importe quelle préoccupation... De temps en temps, bien sûr, ils méditent un peu, soi-disant, et ça leur suffit. A eux, oui, peut-être, mais en réalité cela ne suffit pas. Car il y a des conditions préalables à remplir, et ce n'est qu'en remplissant ces conditions qu'ils découvriront que le travail spirituel apporte véritablement des résultats.

L'image du cavalier sur son cheval est pleine de sens. Le cavalier représente l'esprit de l'homme et le cheval son corps physique. Chacun d'entre nous est donc tout à la fois le cheval et le cavalier. Et comme le cavalier doit soigner son cheval, nous devons soigner notre corps, le tenir en bonne santé, le faire travailler sans l'exténuer. Connaître l'état de son cheval, savoir si les troubles ou les faiblesses proviennent de lui ou de vous, le cavalier, exige beaucoup de discernement. Vous êtes fatigué? Demandez-vous si cette fatigue est physique ou psychique. Vous avez bien mangé, votre corps physique est satisfait et pourtant vous avez encore faim. Alors, qui a faim, votre corps ou vous? Une autre fois, vous n'éprouvez aucune sensation de faim alors que vous n'avez rien mangé et que sûrement votre corps aurait besoin de nourriture. Cette contradiction peut aussi se produire en amour: votre corps ne veut plus rien, mais vous demandez encore; ou inversement, vous ne voulez plus rien, mais votre corps réclame. Parfois, malgré des coups d'éperon, votre monture vous entraîne malgré vous dans des mésaventures. Ou bien c'est le cheval qui trouve le moyen de sauver son maître, car il a flairé un danger que le cavalier n'avait pas perçu. Oui, voilà un vaste champ de réflexion qui s'offre ainsi à vous.

Les connaissances livresques sont des matériaux, des richesses, pourquoi ne pas les acquérir? Mais ce dont vous devez vous méfier, c'est des conclusions. Oui, vous méfier des conclusions qu'ont pu tirer les savants et les philosophes à partir de tous ces matériaux qu'ils avaient à leur disposition. Quand, après des années d'études et de recherches, ces grands penseurs, ces grands professeurs vous disent qu'ils en sont arrivés à la conclusion que l'univers est l'œuvre du hasard, qu'il n'existe aucun ordre dans la création, que l'âme, la religion sont des inventions à rejeter, que la terre est un champ de bataille où chacun doit lutter bec et ongles pour ne pas être dévoré par son voisin, etc... écoutez-les par curiosité, si vous voulez, mais ne vous laissez pas influencer. D'ailleurs, combien de fois au cours des siècles, les conclusions des savants et des philosophes ont varié! Alors, pourquoi aller fonder sa vie sur des bases aussi instables? Toutes les connaissances doivent nous amener vers Dieu, vers la compréhension du sens de la vie. Si elles nous coupent de Dieu et du sens de la vie, il vaut mieux les laisser de côté.

On a souvent comparé Dieu à un feu, mais on ne sait pas grand-chose de ce feu, sauf qu'il est d'une intensité impossible à supporter. C'est le feu de l'Esprit pur : à son contact, toutes les formes se fondent et s'anéantissent. Tous ceux qui ont reçu le baiser de ce feu se sont fondus en lui dans une même flamme. Beaucoup de spiritualistes ont écrit des livres très compliqués sur les expériences des mystiques. En réalité c'est très simple. L'expérience des mystiques est l'expérience du feu, du feu sacré que l'homme alimente en lui, en y jetant chaque jour des morceaux de sa nature inférieure, exactement comme on jette du bois mort dans la cheminée. Regardez un feu brûler : tous ces morceaux de bois qui étaient jusque-là séparés, dispersés, il les réunit dans une même lumière, une même chaleur, et ils sont obligés de penser et de sentir comme lui, le feu.

Le moment où l'homme va quitter la terre pour l'autre monde est d'une importance capitale. C'est pourquoi l'Eglise, qui ne se préoccupe pas toujours d'assagir les gens pendant leur vie alors qu'ils commettent des péchés et des crimes, a institué ce qu'on appelle les derniers sacrements, l'extrême-onction, afin de préparer le chrétien au grand voyage qu'il va entreprendre. Le prêtre essaie de le ramener vers les questions essentielles : il lui explique qu'il est temps de faire un retour sur sa vie, de retrouver au plus profond de lui-même sa foi dans le Créateur et de Lui demander pardon de ses péchés. A-t-il raison ? Oui, car il se conforme ainsi à une tradition extrêmement ancienne, même s'il n'en connaît pas la raison exacte. Ceux qui quittent le corps physique sans s'y être jamais préparés ni avoir cru en l'existence de Dieu et des autres mondes, souffrent beaucoup par la suite et errent dans les régions obscures de l'au-delà. C'est pourquoi il est très grave d'entretenir les gens dans l'erreur qu'il n'y a rien après la mort. Sous prétexte de les avoir libérés de croyances absurdes, on prépare souvent pour eux des épreuves encore plus terribles que celles qu'ils ont eues à affronter sur la terre.

L'amour est une énergie cosmique qui est répandue partout dans l'univers. On peut trouver l'amour dans la terre, dans l'eau, dans l'air, le soleil, les étoiles... On peut le trouver dans les pierres, les plantes, les animaux... Et on peut aussi le trouver chez les humains, bien sûr ; mais justement, pas seulement chez eux. C'est pourquoi vous ne devez pas vous sentir privés d'amour parce que vous n'avez pas un homme ou une femme à tenir dans vos bras. Ce n'est pas le corps, ce n'est pas la chair qui vous donnera l'amour, car l'amour ne se trouve pas là. L'amour peut se servir du corps physique comme support, mais lui, il est ailleurs : il est partout, c'est une lumière, un nectar, une ambroisie qui remplit l'espace.

Les gens s'imaginent qu'en cédant aux tentations, c'est eux-mêmes qu'ils satisfont. Pas du tout, c'est pour d'autres qu'ils travaillent. Malheureusement, ils ne s'en aperçoivent qu'à la fin, quand ils se sentent appauvris, affaiblis, vidés. A ce moment-là ils comprennent que toute leur vie, ils ont travaillé pour d'autres et non pour eux-mêmes, c'est-à-dire pour cette partie d'eux qui doit sans cesse s'enrichir, grandir, s'épanouir. Et quels sont ces «autres»? Des entités ténébreuses du plan astral, qui viennent sans cesse se nourrir et s'enrichir à nos dépens! Par contre il existe aussi d'autres créatures du monde invisible, des créatures lumineuses pour lesquelles nous pouvons travailler sans cesser de gagner nous-mêmes, parce qu'à chacun de nos efforts pour les contenter et les satisfaire, c'est notre patrimoine, notre richesse, notre force qui augmentent.

L'être humain possède un corps physique, c'est entendu, mais ce n'est pas une raison pour s'arrêter à regarder seulement ses organes : l'estomac, les intestins, etc. Qu'est-ce que cela vous apportera ? Bien sûr, vous direz que l'estomac, les intestins ne vous intéressent pas, que vous recherchez la beauté chez les êtres, et que cette beauté, on peut la trouver dans le regard, le visage, les mains, etc. Oui, mais ne vous arrêtez pas là non plus, essayez d'aller plus loin, sinon vous vous exposez à des déceptions, car vous vous limitez à des détails purement matériels. Si vous voulez vous sentir sans arrêt inspiré et heureux, tâchez de vous réjouir de la présence et des émanations subtiles de tous les êtres qui vous entourent, en pensant qu'une divinité invisible demeure cachée en eux. Au-delà du corps physique d'un homme ou d'une femme, il y a tout ce qui émane de son âme, de son esprit, et c'est cela le plus important.

Les Initiés ne lisent pas tellement de livres écrits par les humains. Pour eux, le véritable livre est le grand Livre de la Nature Vivante, c'est sur ce Livre qu'ils sont sans cesse penchés pour en interpréter les symboles, les structures, les formes. Et le Livre de la Nature Vivante, ce n'est pas seulement l'inventaire des minéraux, des plantes, des insectes, des animaux, non, mais la vie tout entière chez toutes les créatures et dans tous les mondes. Ce n'est pas le côté extérieur de la nature qu'il s'agit de connaître, mais la vie dans son jaillissement, son écoulement, et ses correspondances subtiles d'un plan à l'autre de l'univers.

Si un Maître se permet d'instruire des disciples, c'est parce que, pendant des années et des années, et dans d'autres incarnations déjà, il a longuement travaillé sur lui-même. Vous aussi, un jour, vous pourrez instruire des disciples, mais quand? Quand vous serez arrivés à vous dominer et à vous corriger de toutes vos faiblesses. En attendant, faites tout ce que vous pouvez pour vous améliorer, afin d'avoir la meilleure influence sur les personnes auxquelles vous avez affaire. Et cela concerne non seulement les instituteurs, les professeurs, les directeurs, les parents, mais aussi les patrons et tous les responsables quels qu'ils soient.

Il est normal que vous ayez des ambitions, que vous fassiez des projets... Mais attention, soyez vigilant, car ce sont vos aspirations qui déterminent votre avenir. Au moment où vous commencez à nourrir un projet, c'est comme si vous vous mettiez en route vers un lieu déterminé, et avant de parvenir au but, vous devez savoir que vous passerez nécessairement par certaines stations déterminées. C'est pourquoi il est très important de connaître les relations, les affinités que vos désirs ont avec tel ou tel aspect du monde physique et du monde psychique. Un projet, c'est déjà comme si vous mettiez votre train sur des rails, et si vous n'avez pas été lucide et vigilant au moment de la décision, ce train vous amènera souvent où vous ne pensiez pas, et surtout où vous ne souhaitiez pas aller. C'est ainsi qu'on trouve les ténèbres, les conflits et les tribulations, là où l'on croyait trouver la lumière, la paix et le bonheur.

Comment les hommes et les femmes s'y prennent-ils pour gagner l'amitié et l'amour les uns des autres? Ils savent instinctivement qu'ils doivent user de paroles agréables, de compliments, offrir des cadeaux, etc., c'est-à-dire flatter la vanité. En faisant cela, ce n'est évidemment pas à la nature supérieure de la personne qu'ils s'adressent, mais à sa nature inférieure; c'est elle qu'ils caressent, qu'ils nourrissent. Comment s'étonner ensuite si une relation née dans des conditions pareilles se poursuit au milieu des malentendus, des tensions, des affrontements? Cet amour humain, trop humain, ne peut s'exprimer que d'une façon instinctive. Et cela durera jusqu'à ce que les hommes et les femmes apprennent à tenir compte de la nature supérieure qui est aussi en eux, à s'adresser à elle, afin de susciter des manifestations véritablement nobles et lumineuses.

Aimer un être, ce n'est pas vouloir l'attirer dans un but intéressé, mais chercher sans cesse à l'éclairer, à le renforcer, à le rendre de plus en plus conscient de sa prédestination divine.

Toutes les créatures sont obligées de manger et de boire, mais ensuite elles doivent éliminer les déchets. Et que sont ces déchets? Tous les éléments qui ne sont plus utiles à leur organisme. Pourtant ces éléments se trouvaient dans une nourriture et des boissons qui étaient bonnes, puisqu'elles leur ont permis de continuer à vivre. Oui, voilà un fait de la vie quotidienne sur lequel il vaut la peine de s'arrêter. Quelle que soit la qualité de la nourriture que nous mangeons, il y a des déchets à éliminer et ces déchets sont expédiés dans un endroit déterminé. Ce phénomène se retrouve dans tous les plans et à tous les niveaux de l'univers. C'est pourquoi on peut dire que l'Enfer avec ses habitants doit être considéré comme l'endroit où s'entassent les impuretés de toutes les créatures. Cet Enfer dont la chrétienté a tellement parlé depuis des siècles et qu'elle a dépeint sous les formes et les couleurs les plus fantastiques, est en réalité le réservoir où se déverse « le mal », c'est-à-dire les impuretés rejetées par toutes les créatures.

C'est un bonheur pour le disciple de rencontrer un Maître qui n'abusera jamais de son amour. Car grâce à cet amour il va avancer, s'enrichir. L'amour fait des miracles chez le disciple parce qu'il produit des échanges, une osmose entre son Maître et lui. Mais à condition, bien sûr, que ce soit un amour désintéressé. Combien de disciples disent qu'ils aiment leur Maître! Ils l'aiment, c'est-à-dire qu'ils le harcèlent, ils le surchargent. Quelles bénédictions votre amour va-t-il vous apporter si vous ne savez pas comment aimer votre Maître? Vous allez vous ronger parce que le Maître ne pourra répondre à vos exigences, et lui sera écrasé par les fardeaux dont vous le chargez. Eh bien, ce n'est pas cela, aimer. Tous les disciples qui prétendent aimer leur Maître, est-ce qu'ils ont pensé au moins une fois à lui apporter quelque chose de bon avec leur amour? Eh non, toujours des fardeaux. Le véritable amour doit apporter à celui que vous aimez la lumière, la beauté, la paix. Et c'est à cette condition que cet amour vous fera vous aussi progresser.

Tous les spiritualistes qui gardent leur regard fixé au Ciel et méprisent la terre sous prétexte qu'elle est le lieu de la perdition et que le corps physique est un instrument du diable, n'ont rien compris. Ils s'effritent, se dessèchent, se momifient, on ne sent aucune vie en eux. Vous rencontrez ces personnes : elles sont soi-disant quelque part en haut, mais ici, il n'y a plus rien, et en haut il n'y a pas grand-chose non plus !

L'ère du Verseau qui vient, apporte une autre philosophie. Le Verseau enseigne que l'homme doit regarder le Ciel, mais pas pour se détourner de la terre. Il doit regarder le Ciel pour en faire descendre tout ce qui est beau, pur, lumineux, éternel. Lui-même deviendra alors un miroir du Ciel, un conducteur du Ciel, un jardin, un verger, un soleil. Pourquoi faut-il que le Paradis soit seulement en haut, et ici, sur la terre, toujours la misère, la pauvreté et la laideur ? Non, désormais ce sera différent, c'est la beauté qui descendra sur la terre, et tout sera rayonnant : les pierres, les plantes, les animaux, les humains.

Lorsque je critique les intellectuels et l'importance donnée aux études universitaires, ce n'est pas parce que je trouve les intellectuels tellement ridicules ou malfaisants, ni les études tellement inutiles ou nocives. Non, ce que je critique, c'est cette tendance à croire que les études et les travaux intellectuels représentent le summum de la connaissance et de la pensée. Comme s'il n'y avait rien au-delà ! Si l'Intelligence cosmique a donné un intellect à l'homme, c'est pour qu'il l'utilise, et il l'utilise en faisant des recherches, des analyses, des mesures, des comparaisons. Bon. Mais l'intellect est un instrument insuffisant, le domaine que les humains peuvent explorer grâce à lui est limité, et même souvent contradictoire ; c'est pourquoi ils doivent poursuivre leurs investigations plus loin, dans le domaine de l'âme et de l'esprit, sinon ils se sentiront ballottés à droite et à gauche, toujours incertains, insatisfaits.

Quand vous rencontrez des femmes, des hommes, est-ce que vous cherchez d'abord à savoir s'ils ont un cœur et une intelligence solides, s'ils ont un idéal spirituel ? Non. Si vous êtes sincères, vous reconnaîtrez que tout cela ne compte pas tellement pour vous et que vous regardez plutôt s'ils ont un physique assez agréable pour vous donner envie de les embrasser ou s'ils sont assez riches pour vous en faire profiter. Eh oui, c'est là l'attitude du monde entier. Mais maintenant, dans un enseignement spirituel, comprenez que c'est une attitude dont vous devez vous débarrasser, car c'est seulement avec ce qui est honnête, bon, sage et pur chez les êtres que l'on peut former une véritable fraternité et travailler. Que vont faire la beauté et la fortune si elles ne sont pas encore des servantes du monde divin ? Elles ne serviront qu'à soulever des passions qui détruiront la Fraternité. Et ne me comprenez pas mal. Je ne dis pas que la misère et la laideur sont seules souhaitables, je dis qu'il faut se garder des séductions que peuvent exercer sur vous l'argent et la beauté physique, car elles vous feront oublier des qualités beaucoup plus importantes pour ce que nous voulons construire ici.

Je vous ai toujours dit qu'il fallait prendre des leçons chez les amoureux. Un jeune garçon fait la connaissance d'une jeune fille. Mais ils ont dû se séparer, car elle habite très loin. Il ne peut donc plus la voir, mais depuis leur première rencontre elle est dans son cœur, dans son âme, il vit avec elle, et elle est sans cesse pour lui un lien avec le monde de la poésie, de la beauté, de l'inspiration. Eh bien, intérieurement, ce garçon fait déjà l'expérience du disciple, car une idée, une image, une pensée lui suffit; il n'a pas besoin d'une présence physique pour être heureux, inspiré. C'est qu'en réalité l'idée que l'on se fait des choses et des êtres peut être plus puissante que les choses et les êtres eux-mêmes. Il faut connaître cette vérité et savoir l'utiliser, c'est très important pour votre perfectionnement spirituel.

Le mariage, le véritable mariage, est un phénomène cosmique : il se célèbre tout d'abord en haut, entre le Père Céleste et son épouse, la Mère Nature. Quant aux humains, qui sont à l'image de Dieu, ils répètent inconsciemment cet événement cosmique. Voilà une vérité que le christianisme est encore loin de comprendre ; les chrétiens présentent Dieu comme un célibataire. Eh non, c'est une erreur. L'homme, qui a été créé à l'image de Dieu, ne peut rien faire d'autre que ce que fait Dieu Lui-même. Si l'homme cherche une femme pour s'unir à elle et créer, c'est que Dieu a Lui aussi une épouse à laquelle Il s'unit pour créer. Cette épouse, c'est la Mère Divine. Le christianisme n'accepte pas la Mère Divine. Toutes les autres religions l'acceptent, excepté le christianisme. Mais ce christianisme-là n'est pas le véritable enseignement du Christ.

Les chrétiens pensent que cela diminue le Seigneur, de dire que Lui aussi est marié. Alors pourquoi a-t-Il permis aux hommes de le faire ? D'où ont-ils pris cette idée du mariage ? En réalité, tout ce qui se fait en haut, se fait aussi en bas.

Même lorsqu'un malfaiteur a réussi à se mettre à l'abri, sa conscience est sans cesse visitée par des inquiétudes. Peut-être quelqu'un l'a-t-il vu, peut-être a-t-il laissé des indices qui permettront de l'identifier ? etc. Il a déclenché certains processus qui se reflètent maintenant sur sa conscience et il ne peut plus être tranquille. Donc, c'est clair, dès que vous commettez quelque malhonnêteté, votre paix est troublée, car votre conscience reçoit de tous les côtés des images inquiétantes. L'homme coupable qui veut apaiser sa conscience n'y arrive pas, car cela ne dépend pas de la conscience, qui ne fait que refléter la réalité de son comportement, mais de la dette qui reste inscrite. Tant que cet homme n'aura pas réparé ses fautes, sa conscience ne sera pas tranquille.

Avant de se marier, on a le droit de faire son choix, mais quand on est marié, on n'a pas le droit de changer quatre ou cinq fois de partenaire. Une fois marié, il faut être fidèle. De la même façon, avant de suivre un Maître, vous avez le droit de réfléchir, d'étudier la question, d'être méfiant même ; il est normal que vous vous demandiez si ce Maître correspond à votre mentalité, à vos aspirations, à votre idéal, si son enseignement convient à votre nature profonde. Mais quand vous vous êtes engagé auprès d'un Maître, il est très mauvais pour votre évolution de ne pas lui rester fidèle. Que voulez-vous construire intérieurement de solide et de stable en allant une fois d'un côté, une fois de l'autre, au gré de vos caprices ou de votre curiosité ? L'expérience spirituelle ne consiste pas en une série de rencontres que l'on fait une fois avec un Maître hindou, une autre fois avec un Maître soufi, une autre fois encore avec un Maître zen, etc. L'expérience spirituelle, c'est un sillon que l'on creuse en soi et que l'on ne cesse jamais d'approfondir. Or, que peut-on approfondir en changeant continuellement de guide ou d'orientation ?

Notre présent est le résultat de notre passé. C'est pourquoi nous n'avons presque aucun pouvoir sur le présent : il est la conséquence, la suite logique du passé. Les pensées, les sentiments, les désirs que nous avons eus dans nos incarnations antérieures, ont déclenché dans l'univers des forces et des puissances de même nature qui ont déterminé nos qualités, nos faiblesses et les événements de notre existence actuelle. C'est la raison pour laquelle il est presque impossible de changer, au cours de cette incarnation, ce qui a été ainsi déterminé par notre vie passée. La seule chose qui soit en notre pouvoir, c'est de préparer l'avenir. Et préparer l'avenir, c'est ce que les Initiés enseignent aux disciples qui viennent dans leurs écoles.

La croix est un symbole que nous n'aurons jamais fini d'approfondir. Parmi bien d'autres interprétations, on peut y voir une représentation de l'être humain, synthèse des deux principes masculin (l'esprit et l'intellect) et féminin (l'âme et le cœur). L'union de ces deux principes produit un mouvement. Oui, quand on joint la pensée au sentiment, le mouvement, c'est-à-dire l'action, naît. Lorsque l'on met la croix en mouvement, elle engendre un cercle, le soleil; et plus le mouvement est intense, plus le soleil devient lumineux. Le soleil réunit les deux principes, il est la croix en mouvement.

C'est le travail seulement qui compte, et quand le disciple a trouvé le véritable travail, il ne s'arrête plus. Je me souviens que le Maître Peter Deunov avait l'habitude de répéter ces trois mots : «Rabota, rabota, rabota. Vrémé, vrémé, vrémé. Véra, véra, véra...» C'est-à-dire : «Le travail, le travail, le travail. Le temps, le temps, le temps. La foi, la foi, la foi...» Jamais il ne m'a expliqué pourquoi il répétait ces trois mots, mais là aussi cela m'a beaucoup préoccupé et j'ai compris qu'il avait condensé dans ces trois mots toute une philosophie. Donc, voilà : le travail, mais aussi la foi qui est nécessaire pour l'entreprendre et le continuer, et surtout le temps. Il faut du temps. Il ne suffit pas de désirer ardemment quelque chose pour le réaliser rapidement. Eh oui, maintenant, je connais ce que c'est «vrémé». Des années et des années sont passées et je vois que «vrémé» c'est quelque chose !

Etudiez les forces que vous avez l'habitude de considérer comme mauvaises et vous vous apercevrez qu'elles ne le sont peut-être pas autant que vous le croyez. Combien d'exemples nous montrent que ce qui est le mal pour les uns n'est pas obligatoirement le mal pour les autres ! Certains animaux résistent extraordinairement au feu, d'autres au froid, d'autres au poison, d'autres à l'absence de nourriture. D'autres ne meurent même pas quand on coupe leur corps en deux... Les idées que les hommes se sont forgées au sujet du mal sont des idées à eux, elles ne sont pas universellement valables. Ils ne peuvent pas savoir ce qu'est le mal tant qu'ils le jugent d'après leurs faiblesses ou leurs limitations. Quand ils se rapprocheront de la perfection, ils changeront d'opinion. Comme les Initiés qui, au-delà de cet aspect terrifiant du mal qui fait peur aux faibles, savent trouver en lui une force bénéfique ou même un ami.

Vous voudriez bien parfois résister à certaines tentations, car vous sentez que si vous ne résistez pas, vous allez être entraînés dans des aventures déplorables; mais malgré votre souhait vous n'arrivez pas à vous dominer et vous succombez. Pourquoi? Parce que vous n'avez pas développé en vous un amour pour quelque chose de plus beau, de plus grand, qui pourrait s'opposer à vos instincts. Si vous possédiez cet amour, c'est lui qui combattrait et vous permettrait de vaincre. La volonté seule n'est pas suffisante pour lutter; à un moment ou à un autre, elle finit par capituler. Il ne suffit pas de dire: «Je ne me laisserai pas entraîner, je résisterai...» Pour résister à ce qui vous entraîne vers le bas, il faut être aidé par une force qui vous soulève vers un monde supérieur: un haut idéal.

Interrogez un homme d'affaires qui a fait fortune : croyez-vous qu'il vous dira qu'il est heureux ? Rien n'est moins sûr. Il se plaindra qu'il est surmené, que sa femme profite de ses absences pour le tromper, que son fils est un incapable, ses ouvriers des paresseux, que ses actions ont baissé en bourse, qu'il va être ruiné par ses concurrents, etc. Vous allez l'écouter et, au bout d'un moment, vous vous sentirez aussi accablé que lui. Malgré toutes ses possessions, il ne pourra jamais vous faire sentir combien la vie est belle, car il vit avec la peur de perdre ceci, de perdre cela... Alors, vous voyez, non seulement il ne vous donnera rien, puisqu'il a déjà peur, lui, de perdre ce qu'il possède, mais encore il va vous enlever votre paix, votre joie de vivre. Tandis qu'un homme qui a travaillé pour acquérir des richesses spirituelles croit que ces richesses sont inépuisables et que personne ne peut les lui enlever. Il sera donc toujours prêt à vous en faire bénéficier et, grâce à lui, dans quelques conditions que vous soyez, vous aurez les meilleures méthodes, les meilleurs remèdes pour trouver l'équilibre, pour goûter la beauté et le sens de la vie.

Dans l'univers, la terre n'est pas considérée comme un lieu privilégié, et ce n'est donc pas un honneur de s'y trouver. La terre est une maison de correction où les humains sont envoyés pour faire... des stages de perfectionnement. Mais il n'en sera pas toujours ainsi, car la terre est aussi un vaste champ que des êtres innombrables labourent et travaillent sous la direction du Seigneur. Pour le moment, ce champ est encore en partie inculte, il faudra encore des siècles et des millénaires pour le rendre productif. Mais les conditions s'améliorent de plus en plus, et un jour la terre sera vraiment un jardin fleuri, un verger divin. Elle sera véritablement le Royaume de Dieu, habité par les enfants de l'amour et de la lumière. Depuis longtemps déjà, des milliards d'êtres travaillent, volontairement engagés dans un travail gigantesque dont très peu parmi vous peuvent encore se faire une idée.

Dans notre vie quotidienne il est très difficile de faire le partage entre le bien et le mal, de savoir où commence l'un et où finit l'autre, car ils sont inextricablement mêlés. C'est pourquoi il est dit dans la Table d'Emeraude : « Tu sépareras le subtil (le bien) de l'épais (le mal), avec une grande industrie. » Le mal s'agrippe au bien pour y puiser des forces. Et le bien également s'accroche au mal pour se nourrir de lui, et cela lui est permis : la plante a le droit de puiser des éléments de la terre sur laquelle elle pousse, elle se conforme en cela aux lois de la création et de la vie. Mais le sol n'a pas le droit de puiser les forces de la plante.

Si les humains rencontrent tellement de difficultés et d'échecs, c'est parce qu'intérieurement ils sont divisés : le cœur tire dans une direction, l'intellect dans une autre, la volonté dans une troisième, l'estomac dans une quatrième, le sexe dans une cinquième... Il existe une histoire qui raconte comment l'aigle, le poisson, la taupe et l'écrevisse s'étaient réunis pour transporter un fardeau : la taupe tirait vers la terre, le poisson vers la rivière, l'aigle vers le ciel et l'écrevisse en arrière... Vous pouvez vous imaginer si ce fardeau a été bien transporté ! C'est exactement ce qui se passe la plupart du temps en l'homme, car rien n'est plus difficile que de faire l'unité de toutes les différentes tendances en soi pour les entraîner dans une direction unique. Il peut arriver de temps en temps qu'on y réussisse, mais si rarement ! Et pourtant, c'est cette unification de toutes les tendances qui donne à l'homme le véritable équilibre, la véritable puissance et la véritable paix.

On attend d'un disciple qu'il soit capable de comprendre et d'approfondir les notions élémentaires de la Science initiatique. Dans le passé, celui qui voulait être admis dans une Ecole initiatique était soumis à des épreuves qui devaient révéler ses qualités psychiques. On l'enfermait par exemple dans une pièce après avoir mis devant lui une figure géométrique (cercle, carré, triangle...) et il devait l'interpréter. On le laissait là avec un peu d'eau et de nourriture, et quelques jours après, on lui demandait d'exposer le résultat de sa méditation. Suivant la manière dont il arrivait à interpréter la figure, on l'acceptait ou non dans l'Ecole. Maintenant, les Ecoles initiatiques sont ouvertes à tous, ce qui est d'un côté une bonne chose, car chacun, à son niveau, peut, s'il est sincère, trouver au moins une vérité qui lui permettra de progresser. Mais ceux qui ne cherchent pas à approfondir l'enseignement qu'ils reçoivent courent de grands dangers : ils mélangent tout et tombent dans les pires absurdités.

Le plan moral n'est pas séparé du plan physique, il est facile de le constater. Prenons l'exemple d'un alcoolique. C'était tout d'abord un homme cultivé, attentif, noble et généreux, rien ne lui manquait. Mais à partir du jour où il s'est mis à boire, ces qualités se sont peu à peu émoussées et ont même disparu ; il est devenu grossier, égoïste, brutal. Qu'est-ce qui a changé ? Justement le côté moral, le comportement. Tout cela s'est effrité à cause de l'excès de boisson. Prenons un autre exemple : un homme a la passion du jeu au point de finir par négliger ses obligations, ses devoirs envers sa femme, ses enfants. A l'origine, le jeu était une activité qui n'avait rien à voir avec la morale, et manipuler des cartes est tout à fait innocent, mais c'est finalement le domaine moral qui en a subi les répercussions. Comment ne pas voir les liaisons qui existent entre ces deux plans physique et moral ?

Instinctivement, les humains agissent avec une grande sagesse : lorsque l'hiver approche, ils font des provisions de bois, de charbon, etc., et préparent des vêtements chauds pour résister au froid qui va venir. Malheureusement, ils sont bien moins prévoyants quand il s'agit d'affronter les hivers intérieurs. Là ils ne se préparent pas, et lorsqu'arrive la période sombre, ils ne savent que se plaindre et dire que la vie n'a aucun sens. Vous direz que les saisons de la vie intérieure ne reviennent pas avec la même régularité que dans la nature et qu'elles ne sont donc pas prévisibles. C'est vrai, mais il faut savoir que l'hiver revient nécessairement de temps à autre, et si vous apprenez à vous observer, vous découvrirez chaque fois en vous certains signes avant-coureurs. Donc, apprenez à vous observer et dès que vous sentez que cette période de froid et d'obscurité va venir, soyez vigilants. Préparez les éléments spirituels qui continueront à entretenir en vous le feu et la lumière. Jésus disait : «Marchez pendant que vous avez la lumière, afin que les ténèbres ne vous surprennent point.» Cela signifie : «Profitez des bonnes conditions pour avoir des armes le jour où vous devrez affronter les difficultés qui s'approchent.»

Vous ne pouvez être en sécurité qu'à condition de tout donner au Seigneur: votre esprit, votre âme, votre corps... Oui, tout, et même votre famille, votre maison, et l'argent que vous possédez... Bien sûr, le Seigneur ne va pas venir vous prendre votre argent et le mettre dans ses coffres, mais le geste, la pensée seulement que vous avez de tout Lui donner, met déjà cet argent en sécurité, et vous attendez le moment où Il vous inspirera ce que vous devez en faire. Vous êtes le banquier, le caissier, et Dieu, qui est le propriétaire, vous donnera de bons conseils grâce auxquels cet argent ne sera jamais perdu: parce qu'il Lui appartient. Si tant de gens riches perdent leur argent ou font de mauvaises affaires, c'est parce qu'ils n'avaient pas d'abord consacré leur argent à Dieu qui est le seul capable de leur conseiller comment l'utiliser pour le bien.

Parce que les hommes ont voulu être libres, ils se sont éloignés de la Source et ils ont accepté l'esclavage et le mensonge. Mais pour justifier leurs égarements, ils prétendent que «des goûts et des couleurs on ne discute pas». Ce qui signifie que chacun a sa folie particulière et a le droit de se livrer à toutes les déformations imaginées par sa folie! Non, il existe une norme pour les goûts: ce qui est réellement bon et beau est bon et beau pour tout le monde. Il faut toujours choisir ce qui est pur, lumineux, divin. Dans ce domaine-là, vous avez un choix infini et vous êtes libre. L'univers est peuplé d'une multitude d'anges et d'archanges, et personne ne vous demandera pourquoi vous avez choisi tel ange plutôt que tel autre; et vous pourrez être avec lui autant que vous voulez. Mais si vous avez choisi un démon, alors là on vous le reprochera.

Quelles que soient nos activités physiques et psychiques, nous ne cessons de recevoir des impuretés. En mangeant, en buvant, en respirant, mais aussi en regardant, en écoutant, en fréquentant certaines personnes, en séjournant dans certaines atmosphères, nous absorbons des particules et des courants impurs qui nous alourdissent, nous obscurcissent. Pour le corps physique, il est donc souhaitable de rechercher le plus possible la nourriture et les boissons saines ainsi que l'air pur. Pour les corps psychiques, il faut n'accepter que les pensées et les sentiments purs. Mais vous pouvez faire aussi certains exercices. Par exemple, plusieurs fois dans la journée, imaginez que vous êtes transparent comme un cristal. Et quand je dis «imaginez», je veux dire que vous devez réellement vous identifier avec le cristal, avec sa transparence, jusqu'au moment où vous sentirez les courants célestes passer à travers vous, comme la lumière passe à travers le prisme en se décomposant en sept couleurs.

De graves malentendus seraient évités si les disciples savaient ce qu'ils ont le droit ou non d'attendre de leur Maître. Car le chemin qui mène à la perfection est infini, et pour aussi grand que soit un Maître, il n'est pas parfait. Quoi que pensent ses disciples à son sujet, lui-même sait très bien qu'il est loin d'avoir atteint la perfection absolue, qui est la perfection de Dieu Lui-même. C'est pourquoi les disciples qui aiment vraiment leur Maître doivent n'avoir pour lui que des pensées et des sentiments de la plus grande pureté, de la plus grande lumière. Ils facilitent ainsi son travail, et c'est eux qui en bénéficient, car le Maître a davantage de possibilités pour les aider.

Tant qu'ils sont plongés dans l'atmosphère d'une communauté spirituelle, beaucoup ont clairement conscience d'être sur le bon chemin : le sens de leur vie leur apparaît plus clairement, ils font des efforts pour se perfectionner, pour devenir plus sages, plus patients, plus maîtres d'eux-mêmes. Mais quand ils retournent dans la société et recommencent à fréquenter les gens, quelque temps après, tout ce qu'ils ont appris et compris ici s'efface ; ils retrouvent leurs anciennes habitudes et façons de penser, et ils ont honte presque d'avoir été sages. Alors, comment cela se fait-il ? Pourquoi ces changements dans la conscience ?... Parce qu'en réalité ils n'ont encore ni bien étudié, ni bien compris. Quand on est vraiment éclairé, même si on fréquente les plus grands dévergondés et les plus grands criminels, on reste toujours dans la lumière. Quand la sagesse commence à paraître stupide, c'est qu'on l'a abandonnée...

Les chimistes étudient la constitution des différents corps, les propriétés et les conditions (température, proportions...) dans lesquelles leurs transformations sont possibles. Bon, c'est très bien, mais à quoi tout cela peut-il vraiment servir aux humains s'ils ne savent pas que leur vie intérieure aussi obéit à ces mêmes lois? Or, justement, ils ne le savent pas, et ils s'imaginent que de n'importe quelle façon, dans n'importe quelles conditions, en introduisant en eux n'importe quels éléments (pensées, sentiments, désirs) ils obtiendront tout de même ce qu'ils souhaitent. Eh non, les pensées, les sentiments, les désirs sont comme des corps chimiques, ils ont des propriétés tout aussi diverses, et leur rencontre, leur combinaison, produit également des réactions très variées. Les mêmes lois régissent le monde physique et le monde psychique, et pour notre équilibre, pour notre épanouissement, il est plus important de connaître la chimie psychique, sinon on risque de s'empoisonner, de se brûler ou de produire des explosions.

Ce qui empêche surtout les humains de progresser, c'est qu'ils ont tendance à penser qu'ils
savent tout, qu'ils sont au point. Jusqu'au jour
où, ayant fait quelques expériences malheureuses,
le rideau se déchire et ils se rendent compte qu'ils
ne connaissaient en réalité pas grand-chose.
Enfin, ce jour-là au moins il y a un espoir !

Et une des meilleures méthodes pour progresser, c'est de toujours penser à se comparer avec
ceux qui nous ont dépassés, car c'est cette comparaison qui nous donne l'impulsion pour aller
plus loin. Tant qu'on se compare avec les gens
médiocres ou mauvais, on se dit qu'on est quand
même quelque chose de plus ou de mieux, et on
s'arrête là : puisqu'on est déjà si avancé, pourquoi
aller plus loin ? Combien de gens se sont arrêtés
dans leur évolution parce qu'ils ont négligé de
se comparer à des êtres qui les dépassaient et à
les prendre pour modèles !

Les parents, les éducateurs veulent imposer aux jeunes des qualités morales qu'eux-mêmes, souvent, ne possèdent pas et dont ils ne peuvent pas donner l'exemple. Et ensuite ils s'étonnent de n'être ni obéis ni respectés! C'est normal. Un vrai pédagogue doit vivre conformément aux qualités et vertus qu'il veut enseigner, afin qu'il émane de lui quelque chose de contagieux, de stimulant, d'irrésistible! Un vrai poète, un vrai musicien pousse les autres à devenir poètes ou musiciens. Un véritable porteur de l'amour ouvre le cœur de tous ceux qui l'entourent. Un général audacieux, plein de bravoure, influence ses soldats: ils se jettent à l'assaut et remportent la victoire. Imaginez un poltron, un craintif, qui crie: «En avant!» d'une voix tremblante, personne ne le suivra. Les éducateurs disent: «Il faut être bon, il faut être honnête, il faut être...» mais eux ne le sont pas; alors comment voulez-vous que les jeunes générations soient entraînées?

Ceux qui refusent l'existence du monde invisible prouvent tout simplement qu'ils ne réfléchissent pas. Car de quoi sont-ils occupés jour et nuit? De leurs pensées et de leurs sentiments. Et est-ce qu'ils les voient? Non. Alors, comment se fait-il que ces pensées et ces sentiments représentent pour eux une certitude absolue? Celui qui est amoureux, doute-il de son amour? Il ne voit pas son amour, il ne le touche pas, mais à cause de lui il est prêt à remuer ciel et terre. Et l'âme, et la conscience, qui les a vues? Quand on dit: «En mon âme et conscience, je condamne cet homme», on décide du sort d'une personne au nom de quelque chose qu'on n'a jamais vu et dont on met la réalité en doute. Est-ce tellement raisonnable?

Sans vouloir l'admettre, les humains ne croient qu'à des choses invisibles, impalpables. Ils pensent, ils sentent, ils aiment, souffrent, pleurent toujours pour des raisons invisibles, mais en même temps ils s'obstinent à prétendre qu'ils ne croient pas au monde invisible. Quelle contradiction!

La terre se remplit de plus en plus de gens instruits et cultivés. Dans tous les domaines les connaissances se multiplient. Mais alors la question qui se pose, c'est de savoir pourquoi, malgré tous ces progrès, l'humanité ne s'améliore pas. Au contraire même, on voit de plus en plus de délinquants, de criminels, de malades mentaux. En réalité la réponse est très simple. Malgré leur instruction, les gens continuent à vivre de façon aussi désordonnée, malhonnête et insensée que les ignorants, et même pire qu'eux parce que leur savoir leur donne plus de possibilités. Les connaissances qu'ils accumulent restent intellectuelles, théoriques, ils ne font rien pour s'en imprégner, pour qu'elles pénètrent toutes les cellules de leur organisme et deviennent en eux chair et os. Voilà la seule connaissance qui manque véritablement aux humains : la capacité de se servir de leurs connaissances pour se transformer, pour spiritualiser, illuminer leur être. Eh oui, il y a trop de gens instruits et pas assez de gens décidés à faire un travail sur eux-mêmes.

Quand on dit aux humains ce qu'ils doivent faire pour trouver l'équilibre, l'harmonie, la paix, la lumière, bien sûr la majorité ne sont pas contre, mais ils pensent qu'ils doivent d'abord goûter à tous les plaisirs, à toutes les aventures pour « connaître la vie », paraît-il. Les pauvres, comment peuvent-ils s'imaginer qu'après avoir gaspillé dans ces expériences leurs énergies physiques et psychiques, ils seront en état de faire un véritable travail intérieur ? La seule chose dont ils seront encore capables, c'est de lire quelques livres pour en faire des citations : « Moïse a dit... Bouddha a dit... Jésus a dit... » Et il leur sera évidemment impossible de réaliser ce que ces grands Maîtres ont dit. Eh bien, moi, je vous conseille de vivre l'enseignement des grands Maîtres, et pour le reste, de vous contenter de faire des citations. La littérature universelle est là pour vous apprendre ce que sont les passions humaines. Il n'y a qu'à lire, il n'est pas nécessaire de faire tellement d'expériences coûteuses pour les connaître. Eh oui, vous voyez, il y a une vie qu'il est souhaitable de vivre, et une autre à propos de laquelle on peut se contenter de faire des citations !

Les humains ne peuvent pas s'entendre, ils ne peuvent pas faire l'unité si dans leur compréhension, dans leurs attitudes, ils n'adoptent pas un point de vue plus élevé. Tant qu'on se laisse mener par les instincts, les convoitises, impossible de se comprendre avec les autres ! Pour commencer à s'entendre, il faut entrer dans le domaine du sentiment. Car l'amitié, la sympathie, la compréhension contribuent à rapprocher les êtres. Pourtant, ce n'est pas dans le domaine du sentiment qu'on trouvera l'unité, car là encore les humains ont souvent pour guide l'intérêt, le plaisir. Il faut monter, monter encore pour atteindre le monde de la sagesse, de la raison, qui est le monde des principes où la vérité apparaît avec une telle évidence que tous sont obligés d'avoir la même vision des choses.

Respirer, ce n'est pas uniquement absorber et rejeter de l'air, mais aussi absorber et rejeter la lumière. Alors, exercez-vous : inspirez en pensant que vous attirez la lumière, et expirez en pensant que vous la projetez sur vous-même, sur vos organes, sur vos cellules. De nouveau inspirez... puis expirez... Très vite vous pourrez constater combien cet exercice agit favorablement sur vous : vous vous sentirez détendu, dans la paix.

Une fois que vous avez attiré la lumière en vous, que vous l'avez inspirée, vous pouvez imaginer que vous l'expirez pour le monde entier. Evidemment, il n'est possible de faire ce second exercice qu'après avoir longtemps fait le premier et remplacé en soi beaucoup de particules ternes, maladives, par des particules de lumière. Il faut attendre de sentir que le travail de transformation et de purification a réussi pour se permettre de donner aux autres cette lumière que l'on a reçue en soi. Ce travail avec la lumière est aussi symbolisé par la lettre hébraïque Aleph א. Aleph, c'est l'Initié qui prend la lumière céleste, la vie divine, pour la donner aux humains.

On apprend aux humains qu'ils doivent toujours se montrer objectifs, que la subjectivité est
une tendance dangereuse dont il est préférable
de se débarrasser parce que seul ce qui est objectif
est scientifique et réel. Cela prouve seulement
qu'on n'a jamais compris le sens de ces deux mots
« objectif » et « subjectif ». Le monde objectif est
constitué d'éléments que l'on peut étudier, mesurer, peser, parce que ce sont des éléments matériels qui se présentent toujours de la même
manière et qui sont pareillement observables par
tous. Tandis que le monde subjectif représente
la vie, les émotions, la conscience, l'esprit ; on
ne l'étudie pas, sous prétexte qu'il est variable,
qu'il n'est pas perçu par tous de la même
manière, et qu'il n'est donc pas possible de le saisir pour le mesurer et y opérer des classifica-
tions... Eh bien, c'est une erreur : si le côté subjectif est en perpétuel changement, c'est que tout
y est vivant, et c'est donc avec la vie que vous
êtes en contact.

Lorsque les enfants produisent des dégâts ou volent des fruits chez le voisin, celui-ci va se plaindre aux parents et leur demande de réparer les dommages. Supposez que les parents refusent, ils sont traînés devant la justice. Eh bien, tout se passe de la même façon en nous. Si nous nous laissons aller à émettre de mauvaises pensées et de mauvais sentiments, ils sont comme des enfants terribles qui vont partout dans le monde invisible faire toutes sortes de bêtises et commettre des dégâts. Vous direz que les pensées et les sentiments sont incontrôlables et que vous n'en êtes pas responsable. Eh bien, détrompez-vous. De même que vous êtes responsable de vos actes, vous êtes responsable de vos sentiments et de vos pensées. Il n'est pas écrit nulle part dans la Science initiatique que l'on soit excusable de ne pas contrôler ses pensées et ses sentiments. Au contraire, car les pensées et les sentiments sont des entités vivantes et agissantes que l'homme a le pouvoir d'éduquer en lui-même. Les lois humaines ne vous jugent que sur vos actes, c'est vrai ; mais dans un enseignement initiatique, vous devez apprendre que les lois divines vous jugent aussi sur vos pensées et vos sentiments.

Les théologiens présentent la grâce comme une manifestation arbitraire et inexplicable de la Divinité : on ne sait pas pourquoi certains êtres reçoivent la grâce et les autres non. Cela n'a aucun rapport avec leur conduite, leurs actes, et il est inutile de chercher à comprendre ; c'est comme ça. Présentée de cette façon, la grâce est incompatible avec la justice et on se demande alors s'il y a une justice divine. La justice des hommes n'est déjà pas fameuse, alors si Dieu, Lui aussi, est injuste !... Non, il y a là une très mauvaise compréhension d'une question qui en réalité est facile à comprendre. Je vous donnerai une image. Vous faites construire une maison, mais une fois les murs terminés, vous vous apercevez que vous n'avez plus d'argent pour continuer : vous vous adressez alors à une banque. Si elle constate que vous possédez un capital, elle accepte de vous prêter une certaine somme. La banque prête-t-elle à tout le monde ? Non, mais si vous avez déjà un capital, un terrain, des propriétés, elle veut bien ajouter le nécessaire. De même, la grâce ne va pas partout, mais seulement chez celui qui a déjà préparé, construit quelque chose et qui possède un capital. Elle dit : « Cet homme travaille, il prie, il médite, il construit son temple, je lui donnerai donc de quoi le terminer. » La grâce est donc quelque chose de plus que la justice, mais elle obéit cependant à une justice.

Critiquer les autres, relever leurs défauts, passe chez beaucoup pour une marque de supériorité. Ils s'imaginent ainsi être lucides, perspicaces. Oui, il est possible qu'ils le soient, mais ce qu'ils ne savent pas, c'est que cette habitude de critiquer les autres, de souligner leurs faiblesses et leurs lacunes, les appauvrit. Quand on garde son attention fixée sur des comportements malhonnêtes ou stupides, c'est comme si on se nourrissait de saletés et il y a quelque chose en soi qui périclite. Si vous voulez savoir pourquoi les Initiés sont tellement riches, je vous dirai que c'est parce qu'ils s'occupent de tout ce qui est le plus beau chez les humains : leur âme et leur esprit, auxquels ils veulent donner la possibilité de se manifester. Voilà le secret de la richesse des Initiés. Même s'ils voient les erreurs et les crimes des humains, ils continuent à porter leur intérêt à ce qu'il y a de meilleur en eux. C'est ainsi qu'ils les aident et qu'eux-mêmes s'enrichissent.

Cessez de chercher l'amour, et vous verrez, c'est lui qui vous poursuivra. Et même si vous voulez vous en défaire, vous n'y arriverez pas, vous le chasserez par la porte et il reviendra par la fenêtre. Oui, dès que vous ne cherchez plus l'amour, il est là. Mais plus vous le cherchez, plus il s'éloigne. C'est comme si vous poursuiviez votre ombre : elle fuit devant vous, vous ne pouvez pas la rattraper. Chercher l'amour des autres, c'est comme courir après son ombre. Alors, ne le cherchez plus et il sera tout le temps là à vous sourire, à vous regarder gentiment. Lorsque vous cherchez l'amour des autres, vous vous concentrez sur quelque chose d'extérieur à vous et vous perdez votre amour. C'est ainsi. Donc, au lieu de le chercher, donnez-le, faites-le sortir de vous et il sera toujours présent en vous.

Si vous décidez: « Je veux faire le bien, je veux aider les autres, et tant pis si cela ne me rapporte rien, tant pis si je ne suis pas tellement récompensé », quelles seront les conséquences ? Vous allez développer la bonté, la patience, la générosité, l'abnégation, et non seulement vous sentirez que vous vous épanouissez, mais à cause de votre rayonnement, vous serez un jour apprécié et aimé de tous.

Jamais une bonne pensée, un bon sentiment ne reste sans effets, car tout s'enregistre et laisse des traces. Bien sûr, il ne faut pas vous attendre à ce que les gens autour de vous s'aperçoivent immédiatement de ce que vous portez de bon dans votre tête et dans votre cœur. Mais sachez qu'un jour ou l'autre, ce que vous aurez fait d'utile et de constructif en choisissant la bonne voie, vous apportera toutes les bénédictions. C'est une loi absolue.

Vous n'arriverez à maîtriser vos tendances instinctives que par l'amour pour un haut idéal. Et qu'est-ce qu'un haut idéal ? C'est une aspiration vers la beauté, la beauté spirituelle qui est faite de pureté, de lumière, d'harmonie. Vous contemplez cette beauté, et naturellement, spontanément, vous laissez de côté tout ce qui est malsain, obscur, désordonné. Cet amour pour la beauté vous protège, comme un vêtement que vous ne voudriez pas salir.

Que faites-vous quand vous portez de beaux vêtements que vous aimez ? Vous ne vous lancez pas dans des activités qui vous exposent à vous déchirer, à vous tacher ; instinctivement vous faites attention à vos gestes, aux endroits où vous vous asseyez. Eh bien, voilà, si vous vous décidez à cultiver en vous le goût pour le monde de la beauté et le désir de vous en rapprocher, vous sentirez peu à peu se tisser autour de vous comme un vêtement subtil que vous voudrez protéger, et ainsi, vous serez protégé vous-même.

Pour allumer le feu dans une cheminée, vous préparez un peu de papier, puis des brindilles sèches, et enfin du bois plus gros. Vous prenez une allumette, vous mettez le feu au papier, le papier le communique aux brindilles, et les brindilles enflamment les branches. Eh bien, toute une science est contenue dans ce simple fait d'allumer un feu, car on retrouve le même processus dans la vie intérieure. Le feu de l'allumette correspond au plan causal, le monde de l'esprit qui est à l'origine de tous les phénomènes. L'allumette enflamme le papier (le plan mental), qui enflamme les brindilles (le plan astral), qui enflamment le gros bois (le plan physique)*. Tout commence en haut dans le monde spirituel, puis de corps en corps le feu finit par atteindre le plan physique. Il faut comprendre qu'aucune véritable réalisation n'est possible dans le plan physique tant qu'on n'a pas commencé à travailler avec l'esprit.

* Voir note et schéma p.378 et p.379

L'amour dilate la conscience et la sagesse l'éclaire. Sur l'écran de votre conscience, une image peut être grande mais floue, ou bien précise mais toute petite. C'est parce que dans le premier cas, vous n'avez pas su travailler avec la sagesse, et dans le deuxième cas, vous n'avez pas su travailler avec l'amour. Sagesse et amour doivent être également mis en œuvre pour que votre conscience soit vaste et éclairée.

Si tant de gens ont un champ de conscience rétréci, c'est parce qu'ils ne s'intéressent à personne, ils n'aiment personne. Leur conscience ne s'éloigne même pas de quelques centimètres de leur crâne. Ils répètent : « Moi, moi, moi... »

Au contraire, la conscience de celui qui aime s'élargit : elle s'en va trouver les gens pour tourner autour d'eux, rester près d'eux, les toucher, les embrasser. Regardez : tous ceux qui ont de l'amour ne restent jamais immobiles, ils vont sans cesse vers les autres, s'occupent de leurs affaires (jusqu'à les importuner parfois !)

Mais la conscience peut s'élargir sans s'éclairer : les images de l'amour sont floues, elles ne vous donnent pas de précision sur la conduite à tenir. C'est pourquoi l'amour ne suffit pas, il faut que la sagesse s'associe à lui.

Même dans les pires moments de découragement, vous devez savoir que ce découragement lui-même contient les éléments qui, si vous saviez comment les saisir et les utiliser, vous serviraient à reprendre courage. Car le découragement est un état qui possède des forces formidables. La preuve : du moment qu'il est capable de démolir tout un royaume – vous-même, avec toutes les richesses et les possibilités qui sont entassées dans votre corps, votre cœur, votre intellect, votre âme, votre esprit – c'est qu'il est vraiment très puissant. Alors, pourquoi ne pas essayer de s'emparer de cette puissance pour l'orienter dans un sens positif ?

L'homme n'est pas conscient de toutes les possibilités qui sont au-dedans de lui. Même quand il se croit complètement exténué, à bout, en réalité il lui reste encore des ressources formidables capables de l'aider à continuer sa route.

Que chacun, autant qu'il le souhaite, suive les rites de la religion à laquelle il appartient. Nous ne voulons imposer nos convictions à personne et nous laissons les autres agir selon leur niveau de conscience et leur compréhension. Dans la Fraternité, nous vivons les jours des grandes fêtes religieuses comme Noël et Pâques aussi simplement que les autres jours : nous prions, nous méditons, nous chantons... et même si nous pensons plus spécialement à la naissance, à la mort ou à la résurrection du Christ, nous ne faisons rien d'exceptionnel. Maintenant, si certains craignent de transgresser les lois en adoptant notre façon d'agir, qu'ils aillent célébrer ces fêtes dans leurs églises. Que chacun choisisse la religion et la forme de foi qui lui convient et qu'il laisse les autres faire de même. Catholiques et protestants, hindous et musulmans n'ont ni les mêmes croyances ni les mêmes rites. Mais est-ce une raison pour se combattre ? Non. Il n'est pas sage d'empoisonner la vie des gens sous prétexte qu'on se réclame de tel ou tel fondateur de religion. plutôt que de déclencher sans cesse des désordres et des luttes, que tous s'embrassent, s'entraident et fraternisent. C'est ainsi que tous montreront qu'ils sont les adeptes de la vraie religion.

Le travail du disciple est de construire en lui-même un corps spirituel qui lui permettra de naître une deuxième fois. Il possède l'idée : le Royaume de Dieu et sa Justice, la perfection, l'harmonie céleste, et il lui reste maintenant à accumuler les matériaux pour construire le bâtiment. En réalité, du moment que l'idée est là, les matériaux viendront tout seuls. Quand vous avez l'idée, le plan, et que vous l'exposez, il attire du cosmos tous les éléments qui viennent se répartir d'après les lignes directrices de ce plan. Votre travail doit être seulement de maintenir fermement le plan dans votre cœur et dans votre âme. C'est ainsi que se forme en vous votre corps spirituel : le corps de gloire, le corps du Christ. Ce que l'on appelle la deuxième naissance est la formation par l'homme de ce corps lumineux qui lui permet de vivre et d'agir dans le plan spirituel.

C'est en nous liant à la Source céleste que nous ferons jaillir notre propre source.

D'abord, dans notre cœur, par l'amour. Quoi qu'il arrive, quelles que soient les amertumes, les déceptions, les épreuves, nous devons garder toujours ouverte en nous la source de l'amour, car c'est ainsi que notre cœur se purifie.

Dans notre intellect, la Source divine descend comme lumière. Grâce à cette lumière, nous évitons les pièges, les obstacles, nous discernons la voie à suivre, et c'est avec assurance que nous avançons sur cette voie.

Lorsqu'elle pénètre dans notre âme, la Source divine la dilate jusqu'aux confins de l'univers; nous nous confondons avec l'immensité, nous portons toutes les créatures en nous, nous embrassons le monde entier.

Et quand nous serons parvenus à faire jaillir la source dans notre cœur, notre intellect et notre âme, elle rejoindra la Source primordiale qui est notre esprit, qui est Dieu Lui-même, et c'est ainsi que nous deviendrons puissants comme Lui.

Vous dites que vous ne voyez pas autour de vous des exemples de moralité et d'élévation spirituelle que vous pourriez imiter. En êtes-vous sûr? Et en admettant même que ce soit le cas, je vous dirai qu'il n'est pas absolument indispensable de rencontrer des êtres pareils dans le plan physique: les livres peuvent vous aider. Oui, des livres qui vous présentent la vie et le travail des sages, des saints, des Initiés et des grands Maîtres du passé, ça ne manque pas! Lisez-les pour voir ce qu'ils ont été et ce qu'ils ont fait, et comparez avec ce que vous êtes et ce que vous avez réalisé. Et même, je vous dirai qu'il ne suffit pas de se comparer aux humains, si élevés soient-ils. Il faut aussi se comparer aux étoiles, à l'immensité, à Dieu Lui-même. C'est ainsi qu'on prendra conscience de sa petitesse, de ses insuffisances, non pour être écrasé, mais pour sentir un élan s'éveiller en soi, pour bondir, pour franchir les obstacles.

La puissance d'un Initié vient de ce qu'il sait imprégner les paroles qu'il prononce de la matière de son aura qui est abondante, intense, pure. La parole est le réceptacle d'une force, et elle produit des effets d'autant plus puissants qu'elle est davantage imprégnée de cet élément créateur, la lumière. Il n'est pas donné à n'importe qui de prononcer les mots magiques qui produiront de grands effets. Mais un Initié qui prononcera ces mêmes mots, sans forcer la voix, sans faire de gestes, par la seule force intérieure de son aura, peut commander aux forces de la nature et attirer les êtres supérieurs. Ce n'est pas la parole qui a créé le monde, c'est le Verbe. La parole est le moyen dont le Verbe se sert pour réaliser le travail de création. Le Verbe est le premier élément que Dieu a mis en action; la parole est le moyen qui permet au Verbe de se manifester.

On entend parfois certains se plaindre : « Je suis seul, je n'ai pas de famille »… Comment, il n'a pas de famille ? Il a une famille immense, mais sa conscience est tellement limitée, obscurcie, qu'il ne le sent pas. Et c'est le cas de millions d'êtres dans le monde. Ils se sentent seuls, et pourtant !… Alors vous, au moins, travaillez à élargir votre conscience. Comprenez que même si vous n'aviez plus ni père, ni mère, ni frère, ni sœur, ni aucune famille par le sang, ce ne serait pas encore une raison pour vous croire seuls. Il faut que vous sachiez, que vous sentiez que vous êtes tous frères et sœurs, fils et filles du même Père, l'Esprit cosmique, et de la même Mère, la Nature universelle, et que vous ne serez plus jamais abandonnés ni malheureux.

Il est dans la prédestination de la terre de devenir le reflet du Ciel. Pour le moment, ce n'est pas encore le cas. La terre, c'est-à-dire le monde des humains, ne vibre pas en harmonie, en accord avec le Ciel. Quand les humains deviendront conscients de la tâche pour laquelle ils se sont incarnés, ils commenceront à travailler sur la terre, «leur» terre, c'est-à-dire eux-mêmes. Ils feront vibrer tout leur être à l'unisson avec le monde divin, afin de refléter cet ordre, cette beauté, cette lumière qui sont en haut. Et comme l'état de la terre sur laquelle nous marchons est lié à l'évolution des humains, elle aussi va changer, elle aussi deviendra subtile, vibrante, lumineuse, elle produira d'autres fruits, d'autres plantes, d'autres fleurs... Tout changera à cause de la vie des humains, simplement parce qu'ils auront compris le travail qu'ils doivent faire sur eux-mêmes pour se transformer.

Dans certaines traditions, l'univers est représenté comme une montagne au sommet de laquelle la Divinité a sa demeure, inaccessible et inviolée. Les Grecs plaçaient les dieux au sommet du Mont Olympe; Moïse a parlé avec Dieu sur le Mont Sinaï... Les Initiés se sont toujours servis de ce symbole du sommet, même dans les contrées où il n'y avait pas réellement de montagne.

La quête du sommet est la démarche la plus importante, la plus remplie de signification que l'être humain puisse entreprendre. Cela veut dire qu'il est conscient que les puissances, les vertus accumulées en lui par le Créateur peuvent l'amener au-delà de toutes les réalisations terrestres. Dans la Kabbale, l'Arbre séphirotique* peut être identifié à une montagne dont le sommet est la séphira Kéther: la toute-puissance, l'omniscience, l'amour divin. Pour parvenir jusqu'à ce sommet, de grandes qualités sont nécessaires: la ténacité, la volonté, la stabilité, l'intelligence, l'audace, et surtout un désir irrésistible de la lumière et de la pureté qui sont représentées par les autres séphirot.

* Voir note et planche p. 192

Note : *Sans rejeter la division corps – âme – esprit adoptée traditionnellement en Occident, Omraam Mikhaël Aïvanhov a surtout utilisé la division en six – ou sept – corps, inspirée de la philosophie hindoue. (Le corps éthérique, mentionné dans la pensée du 24 mars, fait partie du corps physique. Voir à ce sujet le chapitre VI de «La vie psychique: éléments et structures»).*

Les trois activités fondamentales par lesquelles se caractérise l'homme sont la pensée (qui a pour instrument l'intellect), le sentiment (qui a pour instrument le cœur) et l'action (qui a pour instrument le corps physique). Ne croyez pas que seul le corps physique soit fait de matière: le cœur et l'intellect aussi sont des instruments matériels, seulement leur matière est plus subtile que celle du corps physique.

Une longue tradition ésotérique enseigne que le support, le véhicule du sentiment est le corps astral, et celui de l'intellect le corps mental. Mais cette trinité: corps physique, corps astral, corps mental, constitue notre nature humaine imparfaite. Ces mêmes facultés de la pensée, du sentiment et de l'action se retrouvent en nous à un niveau supérieur, et là, leurs véhicules sont les corps causal, bouddhique et atmique qui forment notre Moi divin. Les trois grands cercles concentriques indiquent les relations qui existent entre les corps inférieurs et supérieurs.

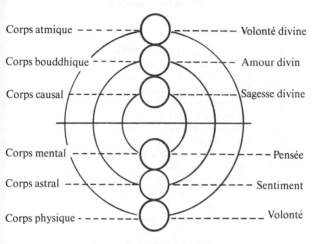

NATURE SUPÉRIEURE

Corps atmique	⃝	Volonté divine
Corps bouddhique	⃝	Amour divin
Corps causal	⃝	Sagesse divine
Corps mental	⃝	Pensée
Corps astral	⃝	Sentiment
Corps physique	⃝	Volonté

NATURE INFÉRIEURE

Le corps physique qui représente la force, la volonté, la puissance dans le plan matériel est lié au corps atmique qui représente la force, la puissance et la volonté divines.

Le corps astral qui représente les sentiments et les désirs égoïstes et personnels, est lié au corps bouddhique qui représente l'amour divin.

Le corps mental qui représente les pensées ordinaires et intéressées est lié au corps causal qui représente la sagesse divine.

Omraam Mikhaël Aïvanhov

« La vie psychique: éléments et structures » *(Chap. III) n°222 – Collection Izvor.*

Du même auteur :

Collection Izvor

L'association Fraternité Blanche Universelle
a pour but l'étude et l'application de l'Enseignement
du Maître Omraam Mikhaël Aïvanhov édité et diffusé
par les Editions Prosveta.

Pour tout renseignement sur l'Association, s'adresser à :
Secrétariat F.B.U.
2 rue du Belvédère de la Ronce
92310 SÈVRES, FRANCE
☎ 45.34.08.85

Editeur-Distributeur

Editions PROSVETA S.A. – B.P. 12 – 83601 Fréjus Cedex (France)

Tel. 94 40 82 41 – Télécopie 94 40 80 05

Distributeurs

ALLEMAGNE
EDIS GmbH,Daimlerstr.5
D - 8029 Sauerlach

AUTRICHE
MANDALA
Verlagsauslieferung für Esoterik
A-6094 Axams, Innsbruckstraße 7

BELGIQUE
PROSVETA BENELUX
Van Putlei 105 B-2547 Lint
N.V. MAKLU Somersstraat 13-15
B-2018 Antwerpen
Tel. (32) 34 55 41 75
VANDER S.A.
Av. des Volontaires 321
B-1150 Bruxelles
Tel. (32) 27 62 98 04

BRÉSIL
NOBEL SA
Rua da Balsa, 559
CEP 02910 - São Paulo, SP

CANADA
PROSVETA Inc.
1565 Montée Masson
Duvernay est, Laval, Que. H7E 4P2
Tel. 514 661 42 42
FAX 514 661 49 84

CHYPRE
THE SOLAR CIVILISATION BOOKSHOP
PO. Box 4947
Nicosie

COLOMBIE
HISAN LTA INGENIEROS
At / Alvaro MALAVER
CRA 7 – n°67-02
Bogotá – FAX 1 212 39 67

ESPAGNE
ASOCIACIÓN PROSVETA ESPAÑOLA
C/ Ausias March n° 23 Ático
SP-08010 Barcelona

ETATS-UNIS
PROSVETA U.S.A.
P.O. Box 49614
Los Angeles, California 90049

GRANDE-BRETAGNE
PROSVETA
The Doves Nest
Duddleswell Uckfield,
East Sussex TN 22 3JJ

GRÈCE
PROFIM MARKETING Ltd
Ifitou 13
17563 P. Faliro
Athènes

HONG KONG
SWINDON BOOK CO LTD.
246 Deck 2, Ocean Terminal
Harbour City
Tsimshatsui, Kowloon

IRLANDE
PROSVETA IRL.
84 Irishtown – Clonmel

ITALIE
PROSVETA Coop.
11 via della Resistenza
06060 Moiano (PG)

LUXEMBOURG
PROSVETA BENELUX
Van Putlei 105 B-2548 Lint

MÉXIQUE
COLOFON S.A.
Pitagora 1143
Colonia del Valle
03 100 Mexico, D.F.

NORVÈGE
PROSVETA NORDEN
Postboks 5101
1501 Moss

PAYS-BAS
STICHTING
PROSVETA NEDERLAND
Zeestraat 50
2042 LC Zandvoort

PORTUGAL
PUBLICAÇÕES
EUROPA-AMERICA Ltd
Est Lisboa-Sintra KM 14
2726 Mem Martins Codex

SUISSE
PROSVETA
Société Coopérative
CH - 1808 Les Monts-de-Corsier
Tel. (41) 21 921 92 18
FAX. 21 923 51 27

VENEZUELA
J.P.Leroy
Apartado 51 745
Sabana Grande
1050 A Caracas

ACHEVÉ D'IMPRIMER LE 29 MAI 1992
SUR LES PRESSES DE L'IMPRIMERIE
PROSVETA, Z.I. DU CAPITOU
B.P.12 – 83601 FRÉJUS CEDEX

– N° d'impression : 1971 –
Dépôt légal : Mai 1992
Imprimé en France